KB076722

강력한 서강대 자연계 수리논술

기출문제

저자 소개

저자 김근현은 현재 탁트인 교육, 일으킨 바람, 에듀코어 대표이다.
前 메가스터디 온라인에서 대입 논술과 면접, 자기소개서, 학생부종합 등 다양한 동영상 강의를 하였다.
현재는 학습 프로그램 개발 및 연구 활동을 통해 교육의 발전을 고민하고 있다.
홍익대학교에서 전자전기공학부를 졸업하고 동대학원에서 전자공학 석사(반도체 레이저)를 전공하였다. 또한 연세대학교 교육경영최고위자 과정을 마쳤으며 연세대학교 교육대학원에서 평생교육 경영을 공부하고 있다.

강력한 서강대 자연계 수리논술 기출 문제

발　행 | 2024년 03월 11일
개정판 | 2024년 06월 21일
저　자 | 김근현
펴낸이 | 김근현
펴낸곳 | 일으킨 바람
출판사등록 | 2018.11.12.(제2018-000186호)
주　소 | 경기도 고양시 일산서구 하이파크 3로 61 409동 1503호
전　화 | 031-713-7925
이메일 | illeukinbaram@gmail.com

ISBN | 979-11-93208-71-7

www.iluekinbaram.com

강력한 서강대 자연계

수리논술 기출문제

김근현 지음

차례

머리말

책을 쓰기 위해 책상에 앉으면 아쉬움과 안타까움, 나의 게으름에 늘 한숨을 먼저 쉰다.
왜 지금 쓸까?
왜 지금에서야 이 내용을 쓸까?
왜 지금까지 뭐했니?
스스로 자책을 한다.

또 애절함도 함께 느낀다.
시험이 코앞에서야 급한 마음에 달려오는
수험생들에게 왜 미리 제대로 준비된 걸 챙겨주지 못했을까?
그렇게 하루, 한 달, 일 년 그렇게 몇 해가 지나 이제야 조금 마음의 짐을 내려놓는다.

입에 단내 가득하도록 학생들에게 강의를 했고,
코앞에 다가온 연속된 수험생의 긴장감을 함께하다보면
그렇게 바쁘게 초조하게 지냈던 것 같다.

그렇게 함께했던 시간을 알기에
부족하겠지만
부디 이 책으로 수험생들이 부족한 일부를 채울 수 있고,
한 걸음이라도 희망하는 꿈을 향해 다갈 수 있길 간절히 바래 본다.

김 근 현

I. 서강대학교 논술 전형 분석

1. 논술 전형 분석

1) 전형 요소별 반영 비율

계열	모집단위	출제분야	반영비율		답안 작성 분량	시험시간
			문제1	문제2		
자연 인문·자연	수학과, 물리학과, 전자공학과, 컴퓨터공학과, 화공생명공학과, 기계공학과, 인공지능학과, 시스템반도체공학과	수리 관련 제시문과 논제	40%	60%	분량제한 없음 (문제당 1쪽 이내)	100분

※ 논술시험 적용 교육과정 및 대상교과 : 2015 개정 교육과정의 보통교과(공통과목+선택과목), 전문교과 제외

→ 공통과목 : 수학, 선택과목 : 수학Ⅰ, 수학Ⅱ, 미적분, 확률과 통계, 기하

선발모형	전형요소					
	논술		학교생활기록부			
			학생부교과		학생부비교과	
	최고점	최저점	최고점	최저점	최고점	최저점
일괄 합산	80%		10%		10%	
	800	0	100	0	100	0

2) 학생부 교과 반영 방법

내신 등급	반영점수	내신 등급	반영점수	내신 등급	반영점수
1.00 이상 ~ 1.25 이하	100.00	3.75 초과 ~ 4.00 이하	98.90	6.50 초과 ~ 6.75 이하	97.80
1.25 초과 ~ 1.50 이하	99.90	4.00 초과 ~ 4.25 이하	98.80	6.75 초과 ~ 7.00 이하	97.70
1.50 초과 ~ 1.75 이하	99.80	4.25 초과 ~ 4.50 이하	98.70	7.00 초과 ~ 7.25 이하	97.60
1.75 초과 ~ 2.00 이하	99.70	4.50 초과 ~ 4.75 이하	98.60	7.25 초과 ~ 7.50 이하	97.50
2.00 초과 ~ 2.25 이하	99.60	4.75 초과 ~ 5.00 이하	98.50	7.50 초과 ~ 7.75 이하	97.40
2.25 초과 ~ 2.50 이하	99.50	5.00 초과 ~ 5.25 이하	98.40	7.75 초과 ~ 8.00 이하	97.30
2.50 초과 ~ 2.75 이하	99.40	5.25 초과 ~ 5.50 이하	98.30	8.00 초과 ~ 8.25 이하	97.00
2.75 초과 ~ 3.00 이하	99.30	5.50 초과 ~ 5.75 이하	98.20	8.25 초과 ~ 8.50 이하	96.50
3.00 초과 ~ 3.25 이하	99.20	5.75 초과 ~ 6.00 이하	98.10	8.50 초과 ~ 8.75 이하	96.00
3.25 초과 ~ 3.50 이하	99.10	6.00 초과 ~ 6.25 이하	98.00	8.75 초과 ~ 9.00 이하	0.00
3.50 초과 ~ 3.75 이하	99.00	6.25 초과 ~ 6.50 이하	97.90		

2024학년도부터 정량평가(등급(9등급)표기되는 **전 과목** **평균등급(단위수고려))**

전 학년 통합 반영, 가중치 없음(3학년 1학기까지)

반영 교과에 해당하는 과목별 평균 석차등급을 산출하여 등급별 점수표를 적용함

평균 석차등급 산출방법 = Σ (반영 교과목별 석차등급 × 단위 수) / Σ (반영 교과목 단위 수)

※ 내신등급 소수점 처리는 셋째자리에서 반올림하여 둘째자리로 표기함

3) 학생부 비교과 반영 방법

구분	내용	
반영 비교과 영역	· 출결사항(10%)	
반영점수	· 최고점 100점, 최저점 0점	
	출결사항 미인정 결석	반영점수
	0~3일	100
	4~6일	98
	7~9일	96
	10~14일	90
	15일 이상	0

4) 수능 최저학력 기준

지원계열	수능 최저학력기준
전 계열	국어, 수학, 영어, 탐구(사회/과학/직업-1과목) 4개 영역 중 **3개 영역 등급합 7** 이내이고 **한국사 4등급** 이내

※ 지원 계열에 따른 응시영역 간 구분을 두지 않음(국어, 수학, 탐구)

※ 변경사항 발생 시 입학처 홈페이지 등을 통해 안내

5) 논술 전형결과

(1) 2024학년도 (논술전형) 결과

계열	모집단위	모집인원 (명)	지원인원 (명)	최초 경쟁률	논술응시 + 수능최저충족인원(명)	최종합격인원 (명)	최종경쟁률	충원률 (%)
인문 자연	지식융합미디어학부	12	1,239	103.25:1	-	13	29.62:1	8.3
자연	수학과	6	670	11.67:1	-	7	33.57:1	16.7
	물리학과	6	586	97.67	-	7	22.57:1	16.7
	전자공학과	12	1,644	137.00:1	-	14	46.86:1	16.7
	컴퓨터공학과	12	1,739	144.92:1	-	15	48.93:1	25.0
	화학생명공학과	12	1,786	148.83:1	-	15	50.67:1	25.0
	기계공학과	10	1,421	142.10:1	-	14	38.43:1	40.0
	인공지능학과	3	394	131.33:1	-	3	36.67:1	0.0
	시스템반도체공학과	3	594	198.00:1	-	3	77.00:1	0.0
총계		76	10,073	123.86	-	91	42.70	16.49

(2) 2023학년도 (논술전형) 결과

계열	모집단위	모집인원 (명)	지원인원 (명)	최초 경쟁률	논술응시 + 수능최저충족인원(명)	최종합격인원 (명)	최종경쟁률	충원률 (%)
인문 자연	지식융합미디어학부	14	1,232	88.00:1	362	16	22.63:1	14.3
자연	수학과	6	551	91.83:1	178	11	16.18:1	83.3
	물리학과	6	420	70.00:1	108	9	12.00:1	50.0
	전자공학과	12	1,552	129.33:1	548	16	34.25:1	33.3
	컴퓨터공학과	12	1,770	147.50:1	608	12	50.67:1	-
	화학생명공학과	12	1,503	125.25:1	519	14	37.07:1	16.7
	기계공학과	10	893	89.30:1	256	20	12.80:1	100.0
	인공지능학과	3	368	122.67:1	103	3	34.33:1	-
	시스템반도체공학과	3	467	155.67:1	146	3	48.67:1	-
총계		78	8,756	113.28	2,828	104	29.84	33.07

(3) 2022학년도 (논술전형) 결과

계열	모집단위	모집인원(명)	지원인원(명)	최초 경쟁률	논술응시 + 수능최저충족인원(명)	최종합격인원(명)	최종경쟁률	충원률(%)
인문자연	지식융합미디어학부	14	1,340	95.71 : 1	350	14	25.00 : 1	-
자연	수학전공	6	585	97.50 : 1	173	7	24.71 : 1	16.7
	물리학전공	6	426	71.00 : 1	112	6	18.67 : 1	-
	전자공학전공	12	1,689	140.75 : 1	570	12	47.50 : 1	-
	컴퓨터공학전공	12	2,121	176.75 : 1	765	12	63.75 : 1	-
	화공생명공학전공	12	1,795	149.58 : 1	609	16	38.06 : 1	33.3
	기계공학전공	10	1,119	111.90 : 1	352	11	32.00 : 1	10.0
총계		72	9,075	120.46	2,931	78	35.67	8.57

(4) 2021학년도 (논술전형) 결과

계열	모집단위	모집인원(명)	지원인원(명)	최초 경쟁률	논술응시+ 수능최저충족인원(명)	합격인원(명)	최종 실질경쟁률(추가합격반영)	충원율(%)
인문자연	지식융합미디어학부	15	1,131	75.40 : 1	400	16	25.00 : 1	6.7
자연	수학전공	10	674	67.40 : 1	203	13	15.62 : 1	30.0
	물리학전공	10	475	47.50 : 1	154	15	10.27 : 1	50.0
	전자공학전공	18	1,880	104.44 : 1	739	28	26.39 : 1	55.6
	컴퓨터공학전공	18	1,965	109.17 : 1	704	23	30.61 : 1	27.8
	화공생명공학전공	18	1,548	86.00 : 1	555	21	26.43 : 1	16.7
	기계공학전공	17	1,220	71.76 : 1	388	22	17.64 : 1	29.4
	총계	106	8,893	80.24	3,143	138	21.71	30.89

2. 논술 분석

1) 출제 구분 : 계열 구분

2) 출제 유형 :

계 열	평가유형	문항 수	출제범위	시간
자연	수리논술	2문항	수학교과(수학, 수학Ⅰ, Ⅱ, 미적분, 확률과 통계 등)	100분

3) 출제 방향 :

서강대학교 자연계 논술은 통합교과형이 아니라 수학 교과만을 평가하는 특징을 가지고 있다. 그러나 수학 교과의 배경지식이나 기본교과지식의 수준을 평가하는 것은 아니다. 수학 교과의 여러 개념 및 원리를 문제 해결에 활용하는 능력, 수리계산 능력 및 수리응용 능력, 그리고 문제 풀이 과정을 논리적으로 서술하는 능력 등을 평가하는 시험이다.

4) 논술 평가 :

1) 미적분은 고교교육과정뿐 아니라 대학에서도 중요한 개념으로, '미적분' 관련 내용은 꾸준히 출제

2) '확률과 통계' 과목의 주요 개념을 적용한 문항이 최근 출제 빈도가 높음

3) 고교 수학 개념을 충분히 숙지한 후, 융합형·서술형 문제에 적용해보는 연습이 필요

4) 자연계열 논술시험은 수학문제를 풀어나가는 과정을 평가하므로 단순히 정답을 찾는 문제 풀이가 아니라 수학적 사고력과 논리력을 통해 문제해결 과정을 요구하는 시험.
→ 문제가 어려워 포기하기보다는 최선을 다해서 가능한 범위까지 답안을 기술해야 함.

5) 서강대학교 논술시험을 준비하는 학생들은 문제의 정확한 답을 구하는 능력과 더불어 제시한 정답을 잘 설명하고 주어진 명제를 증명할 수 있는 과정에 중점을 두고 준비해야 함

3. 출제 문항 수

● **2 문항** - 2문항, 각각 소문항 2~3문항

● **수시 기출문제는 2개의 문항**, 모의 논술 문제는 1개의 대문항(모의 논술은 50분)

4. 시험 시간

· 100분

5. 답안 작성시 유의사항

① 인적사항 (모집단위, 성명, 수험번호, 생년월일) 은 반드시 검은색 필기구 (연필 제외) 로 정확히 기재하기 바라며, 수정이 불가능합니다.

② 답안 작성은 검은색 필기구 (연필 포함) 를 사용하기 바랍니다 (수정테이프 및 지우개 사

용가능). <검은색 이외의 필기구 절대 사용 불가> 성명에 반드시 감독관의 날인을 받아야 합니다.

④ 반드시 답안 영역 안에 작성하시기 바랍니다.

II. 기출문제 분석

1. 기출 연도별 교육과정 내용

고등학교 교육과정 내용			2015 개정 교육과정															
교과목	영역	내용	24 수시 1차	24 수시 2차	24 모의 1차	24 모의 2차	23 수시 1차	23 수시 2차	23 모의 1차	23 모의 2차	22 수시 1차	22 수시 2차	22 모의 1차	22 모의 2차	21 수시 1차	21 수시 2차	21 모의 1차	21 모의 2차
수학	다항식	다항식의 연산																
		나머지정리																
		인수분해																
	방정식과 부등식	복소수와 이차방정식					○					○						
		이차방정식과 이차함수																
		여러 가지 방정식		○														
		여러 가지 부등식																
	도형의 방정식	평면좌표					○	○										
		직선의 방정식		○			○	○										
		원의 방정식					○	○										
		도형의 이동																
	집합과 명제	집합																
		명제																
	함수	함수		○	○							○			○			
		유리함수와 무리함수					○										○	
	경우의 수	경우의 수		○	○													
수학 I	지수함수와 로그함수	지수																
		로그																
		지수함수와 로그함수				○												
	삼각함수	삼각함수				○	○	○					○		○			
		사인법칙과 코사인법칙				○			○				○		○			
	수열	등차수열과 등비수열			○													
		수열의 합						○					○			○		
		수학적 귀납법																
수학 II	함수의 극한과 연속	함수의 극한	○	○	○		○	○	○		○	○						
		함수의 연속	○		○				○			○						
	미분	미분계수와 도함수	○	○			○					○			○		○	
		도함수의 활용	○	○				○	○		○	○		○		○		
	적분	부정적분과 정적분	○													○	○	
		정적분의 활용	○	○	○			○				○					○	○
미적분	수열의 극한	수열의 극한	○								○	○	○	○		○		○
		급수	○									○						○
	미분법	여러 가지 함수의 미분	○	○				○	○			○						
		여러 가지 미분법		○			○	○			○	○			○		○	
		도함수의 활용		○			○	○			○	○				○	○	
	적분법	여러 가지 적분법		○		○		○				○		○		○		
		정적분의 활용		○		○					○	○		○				
확률과 통계	순열과 조합	여러 가지 순열																
		중복조합과 이항정리	○				○			○					○			○
	확률	확률의 뜻과 활용		○		○				○	○	○				○		
		조건부 확률	○								○	○			○	○		
		확률변수와 확률분포					○			○	○					○		
	통계	이항분포와 정규분포					○			○					○			
		통계적 추정																

2. 기출 연도별 출제 의도

기출 연도	출제 의도
2024년 수시 1차	● 함수의 연속에 대한 기본 성질을 이해하고, 주어진 함수가 연속하도록 하는 조건을 찾을 수 있는지 평가한다. ● 함수의 미분에 대한 기본 성질을 이해하고, 주어진 함수가 미분가능 하도록 하는 조건을 찾을 수 있는지 평가한다. ● 함수의 증가, 좌극한, 우극한과 다항함수의 정적분에 대한 기본 성질을 이해하고, 이를 활용할 수 있는지 평가한다. ● 중복조합을 이해하고, 이를 활용할 수 있는지 평가한다. ● 조건으로부터 얻어진 경우의 수를 활용하여 조건부확률을 계산할 수 있는지 평가한다.
	● 정적분과 속도를 이용하여 평면 위의 점이 움직인 거리를 나타낼 수 있고, 적분과 미분의 관계 및 치환적분법을 활용하여 정적분을 구할 수 있는지 평가한다. ● 도함수를 활용하여 주어진 부등식이 성립함을 보일 수 있는지 평가한다. ● 함수의 극한에 대한 성질을 이해하고 극한값을 구할 수 있는지 평가한다. ● 도함수와 이계도함수를 활용하여 함수의 그래프의 개형을 그릴 수 있는지 평가한다. ● 접선을 방정식을 구하고 넓이로 주어진 함수의 증가와 감소, 극대와 극소를 판정하고 설명할 수 있는지 평가한다. ● 등비급수의 뜻을 알고, 그 합을 구할 수 있는지 평가한다.
2024년 수시 2차	● 순열에 대한 기본 성질을 이해하고, 이를 이용하여 경우의 수 및 확률을 구할 수 있는지 평가한다. ● 좌표평면 위를 움직이는 점의 속력 및 속도를 이해하고, 이를 활용할 수 있는지 평가한다. ● 삼각함수 및 합성함수의 미분에 대한 기본 성질을 이해하고, 이를 활용할 수 있는지 평가한다. ● 도함수를 활용하여 함수의 증가와 감소를 판정할 수 있는지 평가한다. ● 정적분에 대한 기본 성질을 이해하고, 이를 활용할 수 있는지 평가한다
	● 함수의 그래프 ● 접선의 방정식 ● 곡선과 직선으로 둘러싸인 도형의 넓이 ● 함수의 최솟값 ● 함수의 극한 ● 이계도함수 ● 함수와 그 역함수의 그래프

2024년 모의 1차	● 대학 교과목들과 융복합 교과인 기계학습의 수리적 기초 이론을 수학 가능한 지 추정하는 것을 주목표로 하며, 아울러 문장으로 쓰여진 논리적 지문을 해석하고 이해하는 능력도 시험한다. 먼저 고등학교 수학 교과과정에 나타나는 개념의 정확한 이해 여부와 각 단원들 간의 융합적 복합 문제를 해결할 수 있는 능력을 시험한다. ● 둘째 교과과정을 통해 배운 수학적 지식을 현실의 문제에 적용 후 수리적 모형화하고 정해진 시간 내에 문제 해결 가능한 능력을 가지고 있는가를 시험하는 것을 목표로 출제한다.
2024년 모의 2차	● 지수, 로그함수의 증감과 미분에 대한 성질을 이해하고 최댓값을 찾는 능력을 평가함 ● 함수의 정적분에 대한 기본 성질을 이해하고 삼각함수의 정적분값을 계산하는 능력을 평가함 ● 확률의 합과 곱에 대한 이해와 응용문제 해결능력을 평가함
2023년 수시 1차	● 고등학교 교육과정에서 다루는 확률과 통계의 기본적인 내용 중 확률의 기본개념, 이항정리, 확률질량 ● 함수, 이항분포, 정규분포 등을 제대로 이해하고 이를 활용할 수 있는지 평가한다. 제시문에는 문제를 풀면서 사용할 수 있는 관련 교과서 내용이 주어졌다. 구체적인 출제기준은 다음과 같다. ● 이항정리와 다항식의 계수 형성 원리를 이해하는지 파악한다. ● 확률의 기본성질을 이해하는지 파악한다. ● 확률변수와 확률질량함수의 뜻을 아는지 파악한다. ● 이산확률변수가 이항분포를 따르는 경우와 이 경우의 확률질량함수를 구하는 역량을 파악한다. ● 이항분포, 정규분포, 표준정규분포의 관계를 이해하는지 파악한다. ● 표준정규분포표를 이용하여 이항분포와 정규분포의 확률을 구하는 역량을 파악한다.
2023년 수시 2차	● 고등학교 교육과정에서 필수적으로 다루어지는 원과 직선의 성질을 잘 이해하고 미적분의 기본적인 내용과 삼각함수를 기하적인 상황에 잘 활용할 수 있는지 평가한다. 제시문에는 검정교과서에서 공통으로 다루고 있는 정의, 정리, 설명이 제시되어 있으며, 학생들이 문제를 푸는 데 도움을 받을 수 있는 내용으로 구성되어 있다. 구체적인 평가기준은 다음과 같다. ● 두 직선의 수직 조건을 이해하고 활용할 수 있는지 평가한다. ● 원과 직선의 위치 관계를 이해하고, 점과 직선 사이의 거리를 이용하여 원에 접하는 직선의 방정식을 구할 수 있는지 평가한다. ● 부채꼴의 호의 길이와 넓이를 구할 수 있는지 평가한다. ● 수열의 합을 구할 수 있는지 평가한다. ● 삼각함수의 극한을 이해하고 활용할 수 있는지 평가한다.
	● 고등학교 교육과정에서 필수적으로 다루어지는 미적분의 기본적인 내용을 바탕으로 함수의 도함수와 정적분을 제대로 이해하고 이를 다양한

	상황에 활용할 수 있는지 평가한다. 특히 접선의 방정식, 함수의 증가와 감소, 극대와 극소, 함수의 그래프와 두 곡선 사이의 넓이에 활용할 수 있는지 평가한다. 제시문에는 문제를 풀면서 사용할 수 있도록 관련된 교과서 내용을 서술하였으며, 제시문과 이전에 해결한 문항을 활용하여 주어진 문제를 해결할 수 있도록 구성하였다. 구체적인 평가기준은 다음과 같다. ● 함수의 극한에 대한 기본 성질을 이해하고, 다항함수 및 지수함수의 극한을 이용하여 주어진 함수의 극한값을 구할 수 있는지 평가한다. ● 미분을 사용하여 함수의 증가와 감소를 판정하고 이 결과를 함수의 최대·최소 및 부등식에 적용할 수 있는지 평가한다. ● 도함수와 이계도함수를 활용하여 함수의 그래프의 개형을 그릴 수 있는지 평가한다. ● 정적분에 대한 기본 성질을 이해하고, 이를 이용하여 두 곡선 사이의 넓이를 구할 수 있는지 평가한다.
2023년 모의 1차	● 접선의 방정식을 구하고, 이를 활용할 수 있는지 평가 ● 직선 및 원의 접선에 대한 기본적인 성질을 잘 이해하고 있는지 평가 ● 삼각함수의 덧셈정리를 잘 활용할 수 있는지 평가 ● 함수의 극한을 이해하고, 극한값을 잘 구할 수 있는지 평가 ● 함수의 증가와 감소를 잘 이해하고, 이를 활용할 수 있는지 평가 ● 연속함수의 사잇값의 정리를 적용할 수 있는지 평가
2023년 모의 2차	● 확률의 독립사건을 이해하고, 이를 활용할 수 있는지 평가 ● 이항분포를 이해하고, 이를 활용할 수 있는지 평가 ● 기댓값을 이해하고 이를 활용할 수 있는지 평가
2022년 수시 1차	● 고등학교 교육과정에서 필수적으로 다루고 있는 확률과 통계의 기본적인 내용과 미적분학에서 배우는 정적분과 급수의 합 사이의 관계를 이용하여, 이항분포, 분산의 성질, 이산확률변수의 기댓값, 조건부확률, 확률의 덧셈정리 및 곱셈정리 등을 제대로 이해하고 이를 활용할 수 있는지 평가한다. 구체적인 평가요소는 다음과 같다. ● 확률변수와 확률분포를 이해하고, 이를 이용하여 문제를 해결할 수 있는지 평가한다. ● 이항분포의 뜻을 알고, 이를 활용하여 확률질량함수와 분산을 구할 수 있는지 평가한다. ● 분산의 기본성질을 이해하고, 이를 이용하여 문제를 해결할 수 있는지 평가한다. ● 이산확률변수의 기댓값을 구할 수 있는지 평가한다. ● 정적분과 급수의 합 사이의 관계를 이해하고, 이를 이용하여 문제를 해결할 수 있는지 평가한다. ● 확률의 곱셈정리, 덧셈정리를 이해하고, 이를 활용할 수 있는지 평가한다. ● 조건부확률을 이해하고, 이를 구할 수 있는지 평가한다.

<table>
<tr><td></td><td>● 고등학교 교육과정에서 필수적으로 다루고 있는 미적분학의 기본적인 내용과 확률과 통계에서 배우는 이항정리를 이용하여, 도함수의 부호에 따른 함수의 증가·감소 판정, 함수의 극한, 이계도함수와 곡선의 오목·볼록 및 변곡점과의 관계 등을 제대로 이해하고 이를 활용할 수 있는지 평가한다. 제시문에는 문제를 풀면서 사용할 수 있도록 관련된 교과서 내용을 서술하였으며, 제시문과 이전에 해결한 문항을 활용하여 주어진 문제를 해결할 수 있도록 구성하였다. 구체적인 평가요소는 다음과 같다.
● 이항정리를 이해하고, 이를 이용하여 문제를 해결할 수 있는지 평가한다.
● 미분을 사용하여 함수의 증가와 감소를 판정할 수 있는지 평가한다.
● 수 e의 정의를 이해하고, 이를 활용할 수 있는지 평가한다.
● 극한에 대한 기본성질을 이해하고, 이를 이용하여 극한값을 구할 수 있는지 평가한다.
● 도함수와 이계도함수를 활용하여 함수의 그래프의 개형을 그릴 수 있는지 평가한다.</td></tr>
<tr><td rowspan="2">2022년 수시 오후</td><td>● 고등학교 교육과정에서 필수적으로 다루고 있는 확률의 기본적인 개념과 함수의 여러 가지 성질 및 미분, 적분을 이해하고 이를 활용할 수 있는지 평가한다. 구체적인 평가요소는 다음과 같다.
● 확률의 정의와 기본성질을 이해하고, 이를 이용하여 문제를 해결할 수 있는지 평가한다.
● 함수의 연속의 뜻을 이해하고, 이를 활용할 수 있는지 평가한다.
● 역함수의 의미를 이해하고, 이를 활용하여 문제를 해결할 수 있는지 평가한다.
● 미분을 사용하여 함수의 증가·감소를 판정할 수 있는지 평가한다.
● 정적분의 의미를 이해하고, 이를 활용할 수 있는지 평가한다.
● 등비급수의 뜻을 알고, 그 합을 구할 수 있는지 평가한다</td></tr>
<tr><td>● 고등학교 교육과정에서 필수적으로 다루어지는 미적분학의 기본적인 내용을 이해하고 이를 여러 가지 주어진 상황에 적용하여 문제를 해결할 수 있는지 평가한다. 삼각함수와 주기함수의 성질, 평균값 정리, 사잇값 정리, 최대·최소 정리, 적분과 극한값의 계산, 도함수를 이용한 함수의 증가와 감소 판정 등 고등학교 교육과정에서 다루는 핵심적인 내용을 제대로 이해하고 활용할 수 있는지 평가하고자 하였다. 구체적인 평가요소는 다음과 같다.
● 사잇값 정리를 이해하고, 이를 이용하여 문제를 해결할 수 있는지 평가한다.
● 미분을 사용하여 함수의 증가와 감소를 판정할 수 있는지 평가한다.
● 평균값 정리를 이해하고, 이를 활용할 수 있는지 평가한다.
● 최대·최소 정리를 이해하고, 이를 미적분에 활용할 수 있는지 평가한다.
● 삼각함수의 극한에 대한 기본성질을 이해하고, 이를 미적분에 적용할 수 있는지 평가한다.</td></tr>
</table>

<table>
<tr><td></td><td>● 함수의 극한에 대한 기본성질을 이해하고, 이를 이용하여 함수의 극한값을 구할 수 있는지 평가한다.
● 정적분의 개념을 이해하고 이를 활용하여 문제를 해결할 수 있는지 평가한다.</td></tr>
<tr><td>2022년 모의
1차</td><td>● 코사인법칙을 이해하고, 이를 활용할 수 있는지 평가
● $\sum$의 뜻을 알고, 수열의 극한에 대한 기본성질을 이용하여 극한값을 구할 수 있는지 평가
● 삼각함수와 삼각형의 넓이와의 관계를 이해하고, 수열의 극한에 대한 기본성질을 이용하여 극한값을 구할 수 있는지 평가
● 삼각함수의 그래프를 이해하고, 도함수를 응용하여 다항함수의 증가와 감소를 판정할 수 있는지 평가</td></tr>
<tr><td>2022년 모의
2차</td><td>● 【1-1】 평균값 정리를 이해하고, 이를 단순히 주어진 상황에 적용할 수 있는지 평가
● 【1-2】 평균값 정리를 이해하고, 이를 창의적으로 활용할 수 있는지 평가
● 【1-3】 특정한 상황에서 부분적분을 창의적으로 활용하여 문제를 해결할 수 있는 능력을 평가
● 【1-4】 정적분과 급수의 합 사이의 관계를 이해하고 정적분의 값을 이용하여 급수의 극한값을 구하는 능력을 평가</td></tr>
<tr><td rowspan="2">2021년 수시
1차</td><td>● 미분은 다양한 분야에서 활용되기 때문에 고교교육과정에서 중요하게 다루어지고 있다. 따라서 미분법을 통한 수학적 문제 해결 능력과 창의·융합적 사고 능력을 평가하고자 하였다.
● 고교교육과정에서 중요하게 다루는 함수의 증가와 감소에 대한 의미를 잘 이해하고 있는지를 평가하고자 하였다.
● 함수의 도함수를 이용하여 함수가 증가 또는 감소한다는 것을 설명할 수 있는지를 평가하고자 하였다.
● 역함수와 삼각함수의 기본적인 특성을 파악하고 있는지를 평가하고자 하였다.</td></tr>
<tr><td>● 일상생활에서 어떤 일을 계획하고 의사 결정을 할 때 일어나는 사건을 예측할 수 있는 능력이 있는 지를 평가하고자 하였다.
● 제시문을 이해하고 활용하여 주어진 문제를 해결할 수 있는 종합적인 능력을 평가하고자 하였다.
● 사건이 일어날 수 있는 모든 경우를 분류하고 조직하는 수학적 능력을 평가하고자 하였다.
● 조합과 중복조합의 개념과 관계를 잘 이해하고 있는지를 평가하고자 하였다.
● 구체적인 상황에서 조합과 중복조합의 수를 계산할 수 있는지를 평가하고자 하였다</td></tr>
</table>

<table>
<tr><td rowspan="2">2021년 수시 2차</td><td>● 두 사건에 대한 조건부확률을 잘 이해하고 있는지를 평가하고자 하였다.
● 두 사건이 있을 때, 하나의 사건이 일어날 확률을 다른 사건의 조건부확률과 연계하여 표현하는 역량을 평가하고자 하였다.
● 조건부확률에 대한 문제에서 확률의 곱셈정리를 이용하여 두 사건의 조건을 서로 바꿀 수 있는지를 평가하고자 하였다.
● 확률변수의 확률질량함수를 구하고, 이를 이용하여 확률변수의 기댓값을 정확하게 계산할 수 있는 지를 평가하고자 하였다.
● 구간 내에서 그래프의 개형이 아래로 볼록한 함수의 최솟값을 미분법을 이용하여 구할 수 있는지를 평가하고자 하였다.</td></tr>
<tr><td>● ■ 함수의 증가와 감소의 뜻을 명확하게 이해하고 있는지를 평가하고자 하였다.
● 도함수를 이용하여 함수의 증가와 감소를 판정할 수 있는지를 평가하고자 하였다.
● 함수 $f(x)$의 부정적분 $F(x)$를 미분하면 $f(x)$임을 말할 수 있는지를 평가하고자 하였다.
● 함수 $f(x)$의 부정적분 $F(x)$를 이용하여 정적분 $\int_a^b f(x)dx$를 $F(b)-F(a)$로 정의한다는 것을 이해하고 있는지를 평가하고자 하였다.
● 수열의 극한에 대한 기본 성질을 이용하여 수렴하는 수열의 극한값을 구하고, 그 과정을 설명할 수 있는지를 평가하고자 하였다.</td></tr>
<tr><td>2021년 모의 1차</td><td>● 이항정리를 이용하여 수열의 극한을 계산할 때 필요한 유용한 부등식을 유도할 수 있는지를 평가
● 등비급수의 기본적인 사실들과 다항함수의 미분을 활용하여 어떤 형태의 급수의 합을 계산할 수 있는지를 평가
● 수열의 극한에 대한 기본적인 성질들과 정적분의 기본적인 성질들을 이용하여 정적분으로 정의된 수열의 극한이 수렴함을 알 수 있는지를 평가
● 등비급수의 기본적인 사실들과 유리함수의 적분법을 활용하여 어떤 형태의 급수의 합을 계산할 수 있는지를 평가</td></tr>
<tr><td>2021년 모의 2차</td><td>● 정적분과 급수의 합 사이의 관계를 이용할 수 있는지를 평가
● 부분적분법을 이용하여 정적분을 계산할 수 있는지를 평가
● 합성함수의 미분법을 활용할 수 있는지를 평가
● 함수의 도함수를 이용하여 함수의 개형을 찾고 최솟값을 구할 수 있는지를 평가</td></tr>
</table>

2020년 수시 1차	● 제시문 [가]~[다]는 모두 고등학교 교과서 수학 I, 미적분Ⅱ, 기하와 벡터의 내용을 발췌하였고, 고등 학교 학생들이 필수적으로 이해해야 하는 내용들로 구성하였다. ● [문항 1-1]은 낮은 난이도의 질문으로 미적분Ⅱ의 호도법의 뜻을 이해하고, 기하와 벡터에서 삼각함수에 기반한 매개변수를 이용하여 평면에서 원의 방정식을 나타내는 방법을 제대로 알고 있는지 그 이해도를 측정하는 문제이다. ● [문항 1-2]는 원의 방정식을 이용하여 서로 다른 두 원의 교점을 구하고 기하와 벡터에서 미분법을 이용하여 속도와 가속도의 기본 성질에 대한 이해도를 측정하고자 하는 것으로 고등학교 교과과정을 제대로 이해하고 있다면 충분히 풀이가 가능한 문제로 구성하였다. ● ·[문항 1-3]은 주어진 구간에서 삼각함수가 포함된 정적분을 계산할 수 있는 능력을 평가하고자 하는 문제이다. 비교적 다양한 내용이 포함되어 있지만 모두 기초적인 개념 중심의 문제로 출제하였다. ● [문항 1-4]는 앞선 문제와 달리, 무한히 높은 원기둥을 일정한 속력으로 달릴 때, 제 3자가 원기둥 바깥의 고정된 위치에서 일정한 시간 동안 관측할 수 있는 실제 운동거리를 계산하는 문제로써, 문제의 상황을 올바로 이해하고 삼각함수의 관계를 평면도형에 적용하여 문제를 해결할 수 있는 능력을 평가하고자 하였다.
2020년 수시 2차	● 제시문 [가]~[마]는 모두 고등학교 교과서 미적분 I, 미적분 II의 내용을 발췌하였고, 고등학교 학생들이 필수적으로 이해해야 하는 내용들로 구성하였다. ● [문항 2-1]은 교과서 예제 수준의 낮은 난이도의 질문으로 미적분 II의 삼각함수와 미분계수의 정의만 제대로 알고 있으면 손쉽게 답할 수 있는 문제이다. ● [문항 2-2]는 수열과 극한에 대한 기초적인 문제로, 대부분 수험생들이 답할 수 있는 낮은 난이도의 문항이다. 문항 2-3에 대해서 수험생의 올바른 답을 유도하기 위한 의도로 출제되었다. ● [문항 2-3]은 도함수와 삼각함수의 증가 감소에 관한 문제로 단순히 문제풀이식 계산에 의존하는 수험생은 정답에 이르지 못할 가능성이 높은 질문으로 사고력을 요구하는 문항이다. 제시문과 앞선 문항의 결과를 종합하여 함수의 증감과 도함수의 부호 사이의 관계를 올바로 이해함으로써 단순 계산보다는 사고력과 개념에 바탕을 둔 답안을 작성하는 능력을 평가하고자 하였다. 질문에 올바로 답하기 위해서는 교과서 수준의 기본 개념만 요구되는 문제이다. ● [문항 2-4]는 부분적분을 이용하여 주어진 두 적분값이 동일함을 증명하는 문제로, 전형적인 계산방식이 아니라 부분적분의 이해가 동반되어야 해결할 수 있는 문항이다. ● [문항 2-5]은 정적분, 부분적분과 삼각함수의 개념을 올바로 사용하여 문제를 해결하는 능력을 평가하고자 하였다.

2020년 모의 1차	● 매개변수방정식을 이해하고 이로부터 속력 및 속도의 크기를 계산할 수 있다. ● 타원의 방정식, 음함수와 삼각함수의 미분, 접선 등의 개념을 이해를 바탕으로 주어진 문제를 해결 할 수 있는 지 평가한다. ● 수열이 주어진 함수의 함숫값으로 나타날 때, 수열의 성질을 이용하여 다양한 복합문제를 해결할 수 있다. ● 공간 도형에서 구의 외부의 한 점에서 구에 접선들을 그을 때 발생하는 접점들의 자취에 의해 형성된 도형을 유추하고 정적분의 정의를 이해하고 이를 활용하여 입체도형의 부피를 구할 수 있어야 한다. ● 수열과 관련된 다양한 복합 응용문제들을 해결할 수 있다. ● 수리적 논리로 문제 해결과정을 잘 서술할 수 있어야 한다.
2020년 모의 2차	● 평균값 정리를 이해하고 증명에 활용할 수 있는 능력을 평가함 ● 미분가능 함수의 증가와 감소, 함수의 극한 그리고 평균값 정리를 사용하여 문제를 해결함 ● 함수와 명제의 개념을 이해함 ● 수학적 귀납법을 사용하여 증명하는 능력을 평가함 ● 제시문을 이해하고 활용하여 문제를 해결하는 능력을 평가하고자 함 ● 주어진 성질을 만족하는 함수를 찾는 능력을 평가하고자 함

III. 논술이란?

1. 논술이란?

1) 논술이란?

어떤 문제에 대해 자기 나름의 주장이나 견해를 내세운 다음, 여러 가지 근거를 제시하여 그 주장이나 견해가 옳음을 증명하는 글쓰기 활동을 말한다. 따라서 논술의 가장 기본적인 요소는 주장과 근거이다. 다시 말해 어떤 주제에 관해서 자신의 견해를 밝히고 자기 의견을 내세우는 글이 바로 논술이다. 때문에 논술은 특별히 논리적이어야 한다는 요구를 받게 된다. 왜냐하면 여러 가지 의견이 있을 수 있는 문제에 대해 자신의 의견을 세워 다른 사람을 설득하려면, 그 주장이 충분한 근거 위에서 논리적으로 개진될 때만 가능하기 때문이다.

2) 대한민국 논술고사는?

한국에서의 대학 입시 논술고사는 실제 교과 과정과 교과서가 기본이 되어 응용된 사고와 풀이 능력과 지식을 바탕으로 한다. 논술고사는 일반적을 비판적으로 글을 읽는 능력과 창의적으로 문제를 설정하고 해결하는 능력 그리고 논리적으로 서술하는 능력을 종합적으로 평가하는 시험이다. 비판적으로 글을 읽는다는 것은 능동적으로 자신의 관점에서 글을 읽는 것을 말하며, 창의적으로 문제를 설정하고 해결하는 능력이란 심층적이고 다각적으로 논제에 접근함으로써 독창적인 사고와 풀이를 이끌어낼 수 있는 능력을 말한다. 그리고 논리적 서술 능력은 글 구성 능력, 근거 설정 능력, 표현 능력 등을 포괄한다.

3) 자연계 논술? 그리고 그 변화

모든 글은 일반적으로 3가지 종류로 나뉘어진다. 시, 소설 등 문학 작품과 같은 글쓰기인 창작적 글쓰기(creative writing)와 설명문이나 해설문의 글쓰기는 해명적 글쓰기(expository writing), 그리고 논설문의 글쓰기인 비판적 글쓰기(critical writing)가 있다. 이 글쓰기 중 대한민국의 대학입시에서 시행되고 있는 자연계 논술은 창작적 글쓰기는 포함되지 않는다. 새로운 문학 작품을 쓰는게 아니라 제시문을 읽고 내용을 구체화시켜 잘 설명하는 설명문의 형태가 있고, 주어진 문제에 대해 생각하고 깊이있는 주장을 피력하는 비판적 글쓰기도 있다.

2. 논술의 기본 용어

1) 논제 : 논술의 문제를 의미한다.

반드시 해결하고 접근하여야 할 논술 시험의 대상이다.

(가) 중심 논제 : 채점할 때 가장 배점이 높으며, 핵심적으로 해결해야 할 논술의 문제

(나) 세부 논제 : 큰 논제 속에 포함된 작은 문제, 각 단계별 채점의 기준이 되며 세부 채점 항목으로 필수 해결 항목이다.

2) 논거 : 논술에서 설명하고 주장하는 논리적인 근거 혹은 이유

3) 주장 : 수험생이 생각하고 채점자에게 알리고 싶은 생각

4) 제시문 : 보기 지문을 말한다.

(가) 출제자가 논제 해결을 위해 보여주는 다양한 글

(나) 각종 그래프, 도표, 그림 등

자료가 정해져 있지는 않다. 하지만 고등학교 교과서를 가장 많이 인용하고, 고등학교 교과 과정으로 분석하고 판단할 수 있는 내용을 제시한다.

5) 개요 : 논제에 맞게 더 구체적으로는 세부 논제에 맞게 글의 진행 방향을 간략하게 정리하는 과정이다.

3. 논술의 명령어

논술고사 후 대학의 발표 자료를 보면 논술은 출제자의 의도에 부합하게 글을 써야 한다고 강조한다. 그런데 출제자의 의도를 파악하는 것은 자칫 상당히 모호하고 주관적인 것으로 판단하기 쉽다. 하지만 자연계 논술에서는 명령어가 한정되어 있다. 그 명령어들을 잘 익히고 의미를 파악한다면 훨씬 논술의 이해가 높아질 것이다. 또한 대학의 채점 기준에는 명령어의 요구 조건을 충족하는지를 평가한다. 그러므로 자연계 논술의 명령어는 수험생에게는 아주 기초적이지만 필수적이며 절대 잊지 말아야 할 중요한 핵심이다.

1) ~ 에 대해 논술하시오.

; 주장을 밝히고 근거를 제시한다.

2) ~ 에 대해 설명하시오.

: 사실, 주장 등을 쉽게 풀어서 밝힌다.

- **~ 제시문 간의 관련성을 설명하시오.**
- **~ 제시문의 논리적 타당성과 문제점을 설명하시오.**
- **~ 제시문을 참고하여 주어진 자료의 특징을 설명하시오.**
- **~ 제시문의 관점에서 왜 그런 현상이 생기는지 그 이유를 설명하시오.**

3) ~ 의 비교하시오. 혹은 대조하시오.

: 공통점과 차이점을 중심으로 설명한다.

- **~ 공통점과 차이점을 설명하시오.**

4) ~ 을 분석하시오.

: 주제를 구성요소로 나누고 각 부분의 의미와 상호관계를 밝힌다.

5) ~ 제시문과 주어진 자료를 참고하여 현상을 예측해 보시오.

: 주어진 자료를 해석하고 자료로부터 얻을 수 있는 시간에 따른 변화나 자료의 발생 이유를 살핀다.

6) ~ 제시문의 문제점을 지적하고 그 문제점을 해결할 방법을 제시하시오.

: 보통은 수학이나 과학의 역사에서 발생했던 여러 오류나 실험과정에서 나타난 문제점을 가지고 있다. 또한 이론이나 실험, 학생의 실험보고서 등과 같이 확실한 오류가 있는 제시문을 주기도 한다. 분명히 문제점을 파악하여 답안에 서술하고 문제점이나 해결할 수 있는 방법 등을 명확히 하여야 한다.

- **~ 제시문의 관점에서 왜 그런 현상이 생기는지 그 원리를 설명하고 그런 현상을 예방할 수 있는 방안을 제시하시오.**
- **~ 문제점을 지적하고 합리적 대안을 제안해 보시오.**
- **~ 주어진 관점을 검증할 수 있는 방법을 논하시오.**
- **~ 주어진 문제점을 해결할 수 있는 실험을 설계해 보시오.**

7) 제시문의 관점에서 주장을 비판하시오.

: 어떤 주장의 타당성이나 가치 등을 평가한다.

3. 자연계 논술 글쓰기 유의사항

① 논제의 해결이 핵심이다. 출제자가 원하는 답을 써야 한다.

② 논제에 부합하는 글을 일관성 있게 써야 한다.

③ 한편의 글을 완성하여야 한다. 나열하거나 사례를 보여주는 것은 의미가 없다.

④ 제시문을 활용, 인용하는 것과 제시문을 그대로 옮겨 쓰는 것은 다르다. 적절하게 제시문의 내용을 사용하여 논제를 해결하여야 한다. 절대 제시문의 문장을 그대로 쓰면 안 된다. 금기사항이고 감점요인이다.

⑤ 부적절한 문장 즉, 비문을 만들지 말아야 한다. 주어와 서술어가 적절하게 있어 문장의 의미를 명확히 전달하여야 한다. 주어를 생략하거나 지시어를 과도하게 사용하면 문장의 의미가 모호해 진다.

⑥ 문장은 짧고 간결하게 써야 한다. 자신의 의견을 명확히 간결하고 효과적으로 밝혀야 한다.

4. 논술 확인 사항

① 시간의 제한이 시험이다. 논술 시험은 자유롭게 글을 쓴다고 생각하고 주어진 시간을 체크하지 않는 경우가 정말 많다. 대학별로 요구하는 시간에 알맞게 답안을 구성해야 한다.

② 문단의 구성, 맞춤법, 띄어쓰기 등을 무시하면 절대 안 된다. 글쓰기의 기본은 의미의 전달 과정임으로 효율적인 연습과 준비가 되어 있어야 한다.

③ 습관적으로 물어보는 의문문, 같이 할 것을 제안하는 청유형은 사용하지 않는 것이 좋다. 문법의 오류가 아니라 격을 떨어뜨리고 글을 단조롭고 어색한 글 전개가 될 가능성이 높다.

④ 500자 미만이면 서론에 해당하는 도입과정은 과감히 생략하고 바로 논점으로 들어간다.

⑤ 한국어에는 수동태가 없다. 그러나 워낙 영어 번역을 많이 사용하다 보니 논술 답안에도 수험생들이 자주 사용한다. 문법에 맞는 효과적인 표현이 필요하다. 학생이 대학의 논술 고사에 응시하고 답안지에 논술 답안을 쓰는 것이다. 대학의 논술 답안지가 수험생으로부터 답안으로 쓰여지는 것이 아니다.

⑥ 많은 수험생들은 착각을 한다. 논술을 멋진 글쓰기라고 생각해 감상적이거나 비유적인 표현도 많이 사용한다. 그런데 오히려 이러한 표현은 채점자가 수험생의 사고능력 파악이 힘들어지고, 오히려 논제 해결을 했는지 판단하는데 혼동을 준다. 또한 일상에서 사용하는 구어체도 사용하면 안 된다. 논술은 글쓰기에서 쓰는 조금 딱딱한 문어체를 사용하는 것이다.

⑦ 아무리 강조해도 글씨의 중요성은 지나치지 않을 것이다. 채점하는 교수님들의 한결같은 큰 애로점은 이해할 수 없는 학생의 글씨라고 한다. 글씨체를 갑자기 바꿀 수 없지만 타인이 알 수 있게 규칙적으로 줄을 맞춰 쓰고, 분량에 맞는 큰 글씨로, 흘려 쓰지 않는 정자체로 답안을 작성하여야 한다.

IV. 자연계 논술 실전

1. 각 대학별 논술 유의사항을 파악하라!

많은 대학에서 글자수 제한을 확인하여야 한다. 그래서 원고지 형이 많지만, 문항별 칸을 만들거나 밑줄 답안 형식도 있다. 논술 시험 시간은 각 대학별로 다양하다. 60분 즉, 한 시간을 시작으로 많게는 2시간까지 (120분)까지 다양하게 있다. 대학별로 준비해야 하는 중요한 이유이다. 답안을 작성하는 필기구도 다양하다. 연필(샤프펜)의 사용이 꾸준히 증가하지만 아직까지 검정색 볼펜이나 청색 볼펜으로 사용하는 학교도 많다. 주의할 것은 수정법이다. 수정은 학교에 따라 수정액, 수정테이프의 사용을 제한하는 경우도 있고 틀리면 두줄을 긋고 써야 하는 곳도 있다. 그러므로 각 대학별 특징을 파악하고, 미리 답안 작성 연습은 물론이고 작성할 때도 대학별로 금지하는 내용을 숙지하고 시험장에 가야 한다.

각 대학별 유의사항 사례

사례 1)

가. 답안은 한글로 작성하되, 글자수 제한은 없다.

나. 제목은 쓰지 말고 특별한 표시를 하지 말아야 한다.

다. 제시문 속의 문장을 그대로 쓰지 말아야 한다.

라. 반드시 본 대학교에서 지급한 필기구를 사용하여야 한다.

마. 수정할 부분이 있는 경우 수정도구를 사용하지 말고 원고지 교정법에 의하여 교정하여야 한다.

바. 본 대학교에서 지급한 필기구를 사용하지 않거나, 수정도구를 사용한 경우, 답안지에 특별한 표시를 한 경우, 또는 원고지의 일정분량 이상을 작성하지 않은 경우에는 감점 또는 0점 처리한다.

사례 2)

Ⅰ. 필요한 경우 한 개 또는 여러 개의 제시문을 선택하여 논의를 전개하고, 사용한 제시문은 꼭 참고문헌 형태로 표시하시오.

예) …[제시문 1-4].

예) …되며[제시문 2-4], …의 경우는 ~을 보여준다[제시문 2-1].

Ⅱ. [문제 1]부터 [문제 4]까지 문제 번호를 쓰고 순서대로 답하시오.

Ⅲ. 연필을 사용하지 말고, 흑색이나 청색 필기구를 사용하시오.

Ⅳ. 인적사항과 관련된 표현을 일절 쓰지 마시오.

Ⅴ. 문제당 배점은 동일함.

사례 3)

◇ 각 문제의 답안은 배부된 OMR 답안지에 표시된 문제지 번호에 맞춰 작성하시오.

◇ 각 문제마다 정해진 글자수(분량)는 띄어쓰기를 포함한 것이며, 정해진 분량에 미달하거나 초과하면 감점 요인이 됩니다.

◇ 답안지의 수험번호는 반드시 컴퓨터용 수성 사인펜으로 표기하시오.

◇ 답안은 검정색 필기구로 작성하시오. (연필 사용 가능)

◇ 답안 수정시 원고지 교정법을 활용하시오. (수정 테이프 또는 연필지우개 사용 가능)

◇ 답안 내용 및 답안지 여백에는 성명, 수험번호 등 개인 신상과 관련된 어떤 내용, 불필요한 기표하면 감점 처리됩니다.

사례 4)

◆ 답안 작성 시 유의사항 ◆

□ 논술고사 시간은 90분이며, 답안의 자수 제한은 없습니다.

□ 1번 문항의 답은 답안지 1면에 작성해야 하고, 2번 문항의 답은 답안지 2면에 작성해야 합니다. 1, 2번을 바꾸어 작성하는 경우 모두 '0점 처리'됩니다.

□ 연습지는 별도로 제공하지 않습니다. 필요한 경우 문제지의 여백을 이용하시기 바랍니다.

□ 답안은 검정색 또는 파란색 펜으로만 작성하며 연필, 샤프는 사용할 수 없습니다.

□ 답안 수정은 수정할 부분에 두 줄로 긋거나 수정테이프(수정액은 사용 불가)를 사용해서 수정합니다.

□ 답안지에는 답 이외에 아무 표시도 해서는 안 됩니다.

□ 답안지 교체는 고사 시작 후 70분까지 가능하며, 그 이후는 교체가 불가합니다.

2. 제시문에 먼저 눈을 두지 말고 문제를 파악하라!!!

대학별 고사인 논술의 어려운 점은 시간의 제한이 있는 글쓰기 시험이라는 것이다. 자유롭게 잘 쓸 수 있는 내용일지라도 시간의 제한이 있으면 얘기가 달라진다. 특히 지금과 같이 각 대학별로 다양하게 등장하는 시험에 익숙하지 않은 수험생에게는 더 큰 부담으로 작용을 한다.

대학에서는 다양하게 제시문과 문제를 분포시킨다. 문제를 등장시키고 제시문이 등장하는 경우, 그림과 도표, 그래프 등과 같이 자료를 제시하고 제시문과 문제를 함께 등장시키는 경우, 제시문을 많이 등장시키고 마지막에 문제를 제시하는 경우 등... 이렇듯 다양한 문제에 시간의 적절한 활용은 대학별 고사의 실전에서는 당락을 결정하는 중요 요소이다.

이러한 실전적 논술에서 핵심은 바로 목적을 가지고 제시문의 읽기가 선행되어야 한다. 글 읽기의 핵심은 문제을 통해 논제를 구체적으로 파악하고 그 논제에 부합하게 제시문을 분석하는 것이다.

① 문제를 먼저 확인하라!! - 제시문을 읽고 문제를 보면 다시 긴 제시문을 또 읽어 시간을 낭비한다.

② 세부 논제 확인하라!! - 한 문제라도 그 문제 속에 다루는 논제는 여러 개가 될 수 있다. 그 질문 내용을 파악하라. 그리고 요구한 논제에 맞게 글을 구성한다.

③ 전제적 요건 파악하라!! - 각 문제의 전제적 요건 및 글로 표현된 부연 설명 등이 중요한 키워드가 될 수 있다.

V. 서강대학교 기출

1. 2024학년도 서강대 수시 논술 1차

[문 제 1] 다음 제시문을 읽고 물음에 답하시오.

> **[제시문]**
>
> **[가]** 함수 $f(x)$가 어떤 구간에 속하는 모든 실수 x에서 연속일 때, $f(x)$는 그 구간에서 연속이라고 한다.
>
> **[나]** 함수 $f(x)$가 어떤 구간에 속하는 모든 실수 x에서 미분가능하면 $f(x)$는 그 구간에서 미분가능하다고 한다.
>
> **[다]** 함수 $f(x)$가 어떤 구간에 속하는 임의의 두 실수 x_1, x_2에 대하여 $x_1 < x_2$일 때, $f(x_1) < f(x_2)$이면 그 구간에서 증가한다고 한다.
>
> **[라]** 사건 A가 일어났을 때의 사건 B의 조건부확률은 $\mathrm{P}(B|A) = \dfrac{\mathrm{P}(A \cap B)}{\mathrm{P}(A)}$이다. (단, $\mathrm{P}(A) > 0$)

[문제]

자연수 n에 대하여 a, b, c, d는 각각 $-n$보다 크거나 같고 n보다 작거나 같은 정수이다. $-1 \le x \le 1$에서 $f(x)$를 다음과 같이 정의하자.

$$f(x) = \begin{cases} x & (-1 \le x < 0) \\ d & (x = 0) \\ \dfrac{a}{2}x^2 + bx + c & (0 < x \le 1) \end{cases}$$

【1-1】 $f(x)$가 닫힌구간 $[-1, 1]$에서 증가하는 함수가 되도록 하는 순서쌍 (a, b)와 (c, d)의 개수를 각각 구하시오.

【1-2】 $f(x)$가 닫힌구간 $[-1, 1]$에서 증가하는 연속함수이고 열린구간 $(-1, 1)$에서 미분가능한 함수라 하자. $\displaystyle\int_{-1}^{1} f(x)dx \le 1$을 만족하는 순서쌍 (a, b)와 (c, d)의 개수를 각각 구하시오.

자연수 n에 대하여 $-n$부터 n까지 서로 다른 정수가 적힌 $2n+1$장의 카드가 주머니에 들어 있다. 주머니에서 임의로 한 장을 뽑아 수를 확인하고 주머니에 다시 넣는다. 이 시행을 4번 반복하여 나온 수를 차례로 위에 정의된 함수 $f(x)$의 a, b, c, d라 하자. 문항 【1-3】과 【1-4】에 답하시오.

【1-3】 위 시행으로부터 얻어진 함수 $f(x)$가 닫힌구간 $[-1, 1]$에서 연속일 때, $f(x)$가 증가하는 함수일 확률을 구하시오.

【1-4】 위 시행으로부터 얻어진 함수 $f(x)$가 닫힌구간 $[-1, 1]$에서 증가할 때, $f(x)$가 열린구간 $(-1, 1)$에서 미분가능한 함수일 확률을 구하시오.

[문 제 2] 다음 제시문을 읽고 물음에 답하시오.

[제시문]

[가] 무리수 e의 정의

$$\lim_{x \to 0}(1+x)^{\frac{1}{x}} = e$$

[나] 함수 $f(x)$가 어떤 열린구간에서 미분가능하고, 이 구간의 모든 x에 대하여

① $f'(x) > 0$이면 $f(x)$는 이 구간에서 증가한다.

② $f'(x) < 0$이면 $f(x)$는 이 구간에서 감소한다.

[다] 함수 $y = f(x)$의 그래프의 개형은 다음과 같은 사항을 조사하여 그릴 수 있다.

① 함수의 정의역과 치역

② 곡선과 좌표축의 교점

③ 곡선의 대칭성과 주기

④ 함수의 증가와 감소, 극대와 극소

⑤ 곡선의 오목과 볼록, 변곡점

⑥ $\lim_{x \to \infty} f(x)$, $\lim_{x \to -\infty} f(x)$, 점근선

[라] 함수 $f(x)$가 $x = a$에서 미분가능할 때, 곡선 $y = f(x)$ 위의 점 $P(a, f(a))$에서의 접선의 기울기는 $f'(a)$이므로 접선의 방정식은 다음과 같다.

$$y - f(a) = f'(a)(x - a)$$

【2－1】 좌표평면 위를 움직이는 점 P의 시각 t에서 위치 (x, y)가 $x = \frac{1}{3}e^{3t} + te^t$, $y = \int_{\ln\sqrt{2}}^{t} \sqrt{(2s - s^2)e^{2s} + 2s}\, ds$일 때, 시각 $t = \frac{1}{2}$에서 $t = \ln 2$까지 점 P가 움직인 거리를 구하시오.

【2－2】 $x \geq 0$일 때 부등식 $2e^x > x^2$이 성립함을 보이고, 이 부등식을 이용하여 극한값 $\lim_{x \to \infty} xe^{-x}$을 구하시오. 그리고 구간 $(-\infty, \infty)$에서 함수 $f(x) = xe^{-x}$의 그래프의 개형을 그리시오.

양수 c에 대하여 다음 그림과 같이 직사각형 R_0의 두 변은 각각 x축, 직선 $x = c$ 위에 있고, 한 꼭짓점은 곡선 $y = e^{-x}$ 위에 있다. 이때, 곡선 $y = e^{-x}$ 위의 꼭짓점을 (t, e^{-t})이라 하자. 곡선 $y = e^{-x}$ 위의 점 (t, e^{-t})에서의 접선의 x절편을 t_1이라 할 때, 두 변이 각각 x축, 직선 $x = t$ 위에 있고 한 꼭짓점이 곡선 $y = e^{-x}$ 위의 점 (t_1, e^{-t_1})인 직사각형을 R_1이라 하자. 곡선 $y = e^{-x}$ 위의 점 (t_1, e^{-t_1})에서의 접선의 x절편을 t_2라 할 때, 두 변이 각각 x축, 직선 $x = t_1$ 위에 있고 한 꼭짓점이 곡선 $y = e^{-x}$ 위의 점 (t_2, e^{-t_2})인 직사각형을 R_2라 하자. 이 과정을 반복하여 직사각형 R_1, R_2, $\cdots$, R_n을 만든다. 문항 【2－3】과 【2－4】에 답하시오. (단, $t > c$이고 n은 자연수)

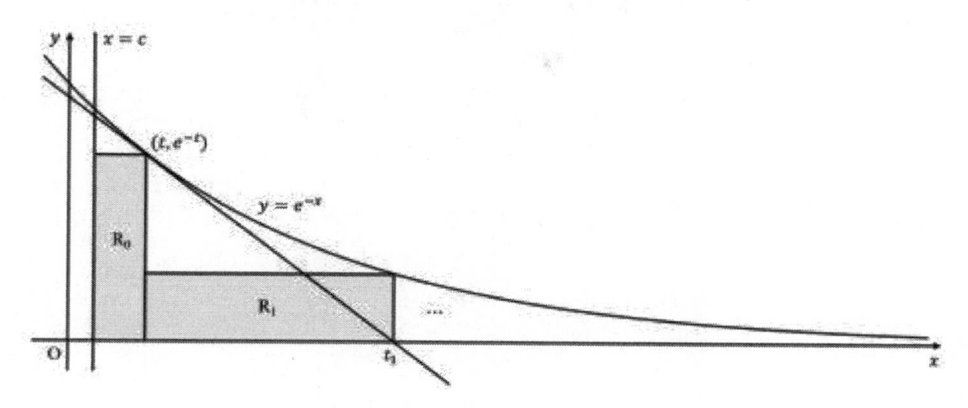

【2－3】 두 개의 직사각형 R_0와 R_1의 넓이의 합의 최댓값이 $\frac{1}{e}$일 때, c의 값을 구하시오.

【2－4】 $c=\frac{1}{e}$일 때, $n+1$개의 직사각형 R_0, R_1, R_2, $\cdots$, R_n의 넓이의 합이 최대가 되는 t를 a_n이라 하자. 극한값 $\lim_{n \to \infty} a_n$을 구하시오.

수시 논술전형 답안지

❶ 본 답안지는 연습용입니다. 실제 시험 답안지와는 다릅니다.

서강대학교 SOGANG UNIVERSITY

모 집 단 위

답 안 지	성 명	응시계열	
자 연		인문/인문·자연계열	○
		자연	○

수 험 번 호									
N	A	A							
			⓪	⓪	⓪	⓪	⓪	⓪	⓪
			①	①	①	①	①	①	①
			②	②	②	②	②	②	②
			③	③	③	③	③	③	③
			④	④	④	④	④	④	④
			⑤	⑤	⑤	⑤	⑤	⑤	⑤
			⑥	⑥	⑥	⑥	⑥	⑥	⑥
			⑦	⑦	⑦	⑦	⑦	⑦	⑦
			⑧	⑧	⑧	⑧	⑧	⑧	⑧
●	●	●	⑨	⑨	⑨	⑨	⑨	⑨	⑨

생년월일 (예:030418)					
⓪	⓪	⓪	⓪	⓪	⓪
①	①	①	①	①	①
②	②	②	②	②	②
③	③	③	③	③	③
④	④	④	④	④	④
⑤	⑤	⑤	⑤	⑤	⑤
⑥	⑥	⑥	⑥	⑥	⑥
⑦	⑦	⑦	⑦	⑦	⑦
⑧	⑧	⑧	⑧	⑧	⑧
⑨	⑨	⑨	⑨	⑨	⑨

① 인적사항 (모집단위, 성명, 수험번호, 생년월일)은 반드시 검은색 필기구(연필 제외)로 정확히 기재하기 바라며, 수정이 불가능합니다.
② 답안 작성은 검은색 필기구(연필 포함)를 사용하기 바랍니다(수정테이프 및 지우개 사용가능).
※ 검은색 이외의 필기구 절대 사용 불가
③ 성명에 반드시 감독관의 날인을 받아야 합니다.
④ 반드시 답안 영역 안에 작성하시기 바랍니다.

문제 1번

이 줄 밑에는 답안 작성을 하지 말 것

이 줄 위에는 답안 작성을 하지 말 것

문제 2번

이 줄 밑에는 답안 작성을 하지 말 것

2. 2024학년도 서강대 수시 논술 2차

[문 제 1] 다음 제시문을 읽고 물음에 답하시오.

[제시문]

[가] 서로 다른 n개에서 r개를 택하는 순열의 수는 ${}_nP_r = n(n-1)(n-2)\cdots(n-r+1)$ (단, $0 < r \le n$)

[나] 좌표평면 위를 움직이는 점 P의 시각 t에서 위치가 $(x,\ y)$이고, x, y가 t의 함수일 때, 시각 t에서 점 P의 속도는 $\left(\frac{dx}{dt},\ \frac{dy}{dt}\right)$, 속력은 $\sqrt{\left(\frac{dx}{dt}\right)^2 + \left(\frac{dy}{dt}\right)^2}$

【1－1】 다음 그림과 같은 도로망이 있다. 서강이와 한국이는 P지점을 동시에 출발하여 같은 속력으로 Q지점까지 최단 경로로 이동한다. 서강이와 한국이가 이동 중에 만나지 않고 Q지점에 도착할 확률을 구하시오.

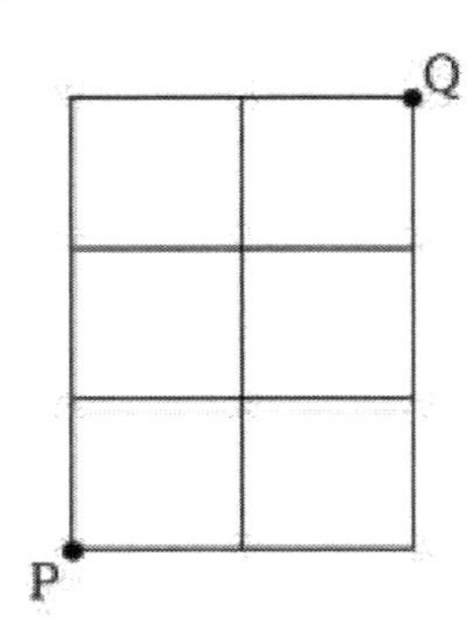

【1－2】 I♡Sogang의 7개의 문자 I, S, o, g, a, n, g와 1개의 기호 ♡를 일렬로 나열할 때, 기호 ♡와 문자 g가 이웃하도록 나열하는 경우의 수를 구하시오.

【1－3】 미분가능한 함수 $f(t)$에 대하여 좌표평면 위를 움직이는 점 P의 시각 t에서 위치 $(x,\ y)$가 $x = f(t)$, $y = \sin f(t)$이다. $x = \frac{\pi}{3}$에서 점 P의 속력이 1일 때, 점 P의 속도로 가능한 것을 모두 구하시오.

【1－4】 다음 그림과 같이 닫힌구간 $[0,\ \pi]$에서 두 곡선 $y = \sin x$와 $y = -\sin x$로 둘러싸인 도형에 내접하는 직사각형이 있다. 직사각형의 한 꼭짓점의 좌표를 $(t,\ \sin t)$라 할 때, 직사각형의 넓이가 최대가 되는 $t = t_0$가 오직 하나 존재함을 보이시오. 또한, 정적분 $\int_0^{t_0} (1 + \sec^2 x)dx$의 값을 구하시오.(단, $0 < t < \frac{\pi}{2}$)

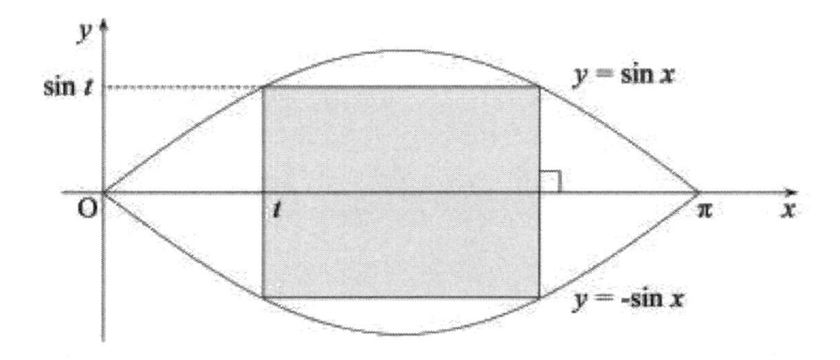

[문 제 2] 다음 제시문을 읽고 물음에 답하시오.

> [제시문]
> [가] 함수 $f(x)$가 $x=a$에서 미분가능할 때, 곡선 $y=f(x)$ 위의 점 $(a,\ f(a))$에서의 접선의 방정식은 $y-f(a)=f'(a)(x-a)$이다.
> [나] 함수 $f(x)$가 어떤 구간에서 미분가능하고, 이 구간의 모든 x에 대하여
> ① $f'(x)>0$이면 $f(x)$는 이 구간에서 증가한다.
> ② $f'(x)<0$이면 $f(x)$는 이 구간에서 감소한다.
> [다] 함수 $y=f(x)$의 그래프의 개형은 다음과 같은 사항을 조사하여 그릴 수 있다.
> ① 함수의 정의역과 치역
> ② 곡선과 좌표축의 교점
> ③ 곡선의 대칭성과 주기
> ④ 함수의 증가와 감소, 극대와 극소
> ⑤ 곡선의 오목과 볼록, 변곡점
> ⑥ $\lim_{x\to\infty} f(x)$, $\lim_{x\to-\infty} f(x)$, 점근선

【2−1】 방정식 $x^4-8x^2-1=0$의 1보다 큰 해가 오직 하나 존재함을 보이시오.

1보다 큰 실수 t에 대하여, 곡선 $y=\frac{1}{x}$ 위의 두 점 $P_1\left(\frac{1}{t},\ t\right)$와 $P_2\left(t,\ \frac{1}{t}\right)$에서의 접선을 각각 l_1과 l_2라 하고, 곡선 $y=\frac{1}{x}$과 두 접선 l_1과 l_2로 둘러싸인 도형의 넓이를 $S(t)$라 하자. 문항 【2−2】 ~ 【2−5】에 답하시오.

【2−2】 함수 $S(t)$를 구하시오.

【2−3】 함수 $y=t-2\ln t\ (t>1)$의 최솟값을 구하고, 1보다 큰 실수 t에 대하여 $S(t)<t$임을 보이시오.

【2−4】 극한 $\lim_{t\to1+} S'(t)$를 조사하고, $t^2(t^2+1)^3S''(t)$를 구하시오.

【2−5】 두 함수 $y=S(t)$와 $y=S^{-1}(t)$의 그래프의 개형을 한 평면에 그리시오. (단, 방정식 $x^4-8x^2-1=0$의 1보다 큰 해는 a라 한다.)

수시 논술전형 답안지

❶ 본 답안지는 연습용입니다. 실제 시험 답안지와는 다릅니다.

서강대학교 SOGANG UNIVERSITY

모 집 단 위

수 험 번 호									
N	A	A							

생년월일 (예:030418)

답 안 지
자 연

성 명

응 시 계 열	
인문/인문·자연계열	○
자연	○

① 인적사항 (모집단위, 성명, 수험번호, 생년월일)은 반드시 검은색 필기구(연필 제외)로 정확히 기재하기 바라며, 수정이 불가능합니다.
② 답안 작성은 검은색 필기구(연필 포함)를 사용하기 바랍니다(수정테이프 및 지우개 사용가능).
※ 검은색 이외의 필기구 절대 사용 불가
③ 성명에 반드시 감독관의 날인을 받아야 합니다.
④ 반드시 답안 영역 안에 작성하시기 바랍니다.

문제 1번

이 줄 밑에는 답안 작성을 하지 말 것

수시 논술전형 답안지

이 줄 위에는 답안 작성을 하지 말 것

문제 2번

이 줄 밑에는 답안 작성을 하지 말 것

3. 2024학년도 서강대 모의 논술 1차

[문 제] 다음 제시문을 읽고 물음에 답하시오.

[가] 한 기차 회사가 A역과 B역을 오가는 열차를 운영하고자 한다. 이 회사는 하루에 총 2번의 열차 운행을 계획하고 있다. 그리고 역의 수와 운행 열차의 수를 확장하고자 한다. 각 역마다 다량의 열차가 항상 대기하고 있으며 출발 시각 순서대로 표를 만들려고 한다.

[나] 실수에서 정의된 함수 f에 대해 적당한 L이 존재하여 모든 실수 x가 $f(x+L)=f(x)$을 만족할 때 함수 f는 주기 L을 갖는 주기함수라고 한다. 다음처럼 정의된 함수 $f(x)$는 주기함수로서 실수 집합 전체로 확장 정의되어 있다.

$$f(x)=\begin{cases} 2/3 & (0 \le x < 1/3) \\ 1 & (1/3 \le x < 2/3) \\ 4/3 & (2/3 \le x < 1) \end{cases}$$

함수 $f(x)$를 n번 합성한 함수를 $f^{(n)}(x)$라고 정의한다.

제시문 [가]를 참조하여 문제 [1]과 [2]에 답하시오.

【1】 한 기차 회사가 A역과 B역을 오가는 열차를 운영하고자 한다. 이 회사는 하루에 총 2번의 열차 운행을 계획하고 있다. 각 열차는 A역과 B역을 출발하여 다른 역에 도착한다. 이 회사는 A역에서 출발하는 열차와 B역에서 출발하는 열차의 출발시각표를 만려고 한다. 각 역마다 다량의 열차가 대기하고 있으며, 출발 시각 순서로 표를 만들려고 한다. 하루에 2번의 열차 운행을 할 때 가능한 모든 시각표의 경우의 수를 구하시오.

【2】 한 기차 회사가 A역, B역, C역 운행을 목표로 한다. A역과 C역 사이에 C역이 있으며, 하루에 총 3번의 열차 운행을 계획하고 있다. 각 열차는 A역 또는 B역 또는 C역을 출발하여 다른 역에 도착한다. A역에서 출발하면 B역에 도착해야하고 C역에서 출발하면 B역에 도착해야 한다. 그리고 B역에서 출발하면 A역 또는 C역에 도착해야 하다. 이 회사는 A역에서 출발하는 열차와 B역에서 출발하는 열차 그리고 C역에서 출발하는 열차의 출발시각표를 만들려고 한다. 각 역마다 다량의 열차가 대기하고 있으며, 출발 시각 순서로 표를 만들려고 한다. 하루에 3번의 열차 운행을 할 때 가능한 모든 시각표의 경우의 수를 구하시오.

제시문 [나]를 참조하여 문제 [3]과 [4]에 답하시오.

【3】 정의된 함수 $f(x)$에 대하여 함수 $f(x)$를 n번 합성한 함수를 $f^{(x)}(x)$라고 하면 $f^{(n)}(x)$은 주기 1인 주기함수임을 보이고 $f^{(x)}(1/2)=1$을 만족하는 모든 n을 찾으시오.

【4】 정의된 함수 $f(x)$에 대하여

$$a_{3n+1}=\int_{n+1/3}^{n+2/3}(n+1)f^{(3n+1)}(x)(x-n)^n dx$$

이라 할 때, $\sum_{n=0}^{\infty} a_{3n+1}$을 계산하시오.

수시 논술전형 답안지

❶ 본 답안지는 연습용입니다. 실제 시험 답안지와는 다릅니다.

서강대학교 SOGANG UNIVERSITY

모 집 단 위

답 안 지	성 명	응 시 계 열	
자 연		인문/인문·자연계열	○
		자 연	○

수 험 번 호									
N	A	A							
			⓪	⓪	⓪	⓪	⓪	⓪	⓪
			①	①	①	①	①	①	①
			②	②	②	②	②	②	②
			③	③	③	③	③	③	③
			④	④	④	④	④	④	④
			⑤	⑤	⑤	⑤	⑤	⑤	⑤
			⑥	⑥	⑥	⑥	⑥	⑥	⑥
			⑦	⑦	⑦	⑦	⑦	⑦	⑦
			⑧	⑧	⑧	⑧	⑧	⑧	⑧
●	●	●	⑨	⑨	⑨	⑨	⑨	⑨	⑨

생년월일 (예:030418)					
⓪	⓪	⓪	⓪	⓪	⓪
①	①	①	①	①	①
②	②	②	②	②	②
③	③	③	③	③	③
④	④	④	④	④	④
⑤	⑤	⑤	⑤	⑤	⑤
⑥	⑥	⑥	⑥	⑥	⑥
⑦	⑦	⑦	⑦	⑦	⑦
⑧	⑧	⑧	⑧	⑧	⑧
⑨	⑨	⑨	⑨	⑨	⑨

① 인적사항 (모집단위, 성명, 수험번호, 생년월일)은 반드시 검은색 필기구(연필 제외)로 정확히 기재하기 바라며, 수정이 불가능합니다.
② 답안 작성은 검은색 필기구(연필 포함)를 사용하기 바랍니다(수정테이프 및 지우개 사용가능).
※ 검은색 이외의 필기구 절대 사용 불가
③ 성명에 반드시 감독관의 날인을 받아야 합니다.
④ 반드시 답안 영역 안에 작성하시기 바랍니다.

문제 1번

이 줄 밑에는 답안 작성을 하지 말 것

4. 2024학년도 서강대 모의 논술 2차

[문 제] 다음 제시문을 읽고 물음에 답하시오.

[가] 함수 $f(x)$가 어떤 열린구간에서 미분가능할 때 그 구간의 모든 x에 대하여 $f'(x)>0$이면 $f(x)$는 그 구간에서 증가한다. 그리고 그 구간의 모든 x에 대하여 $f'(x)<0$이면 $f(x)$는 그 구간에서 감소한다.

[나] 다음은 기본적인 삼각함수들의 미분공식을 나타낸다.

$$\sin' x = \cos x,\ \cos' x = -\sin x,\ \tan' x = \sec^2 x,\ \cot' x = -\csc^2 x$$

[다] 두 사건 A, B에 대하여 $\mathrm{P}(A)>0$, $\mathrm{P}(B)>0$일 때, A, B가 동시에 일어날 확률은 $\mathrm{P}(A\cap B)=\mathrm{P}(A)\mathrm{P}(B|A)=\mathrm{P}(B)\mathrm{P}(A|B)$이다.

【1】 함수 $y=a\log_3(x-1)+b\log_5(5-x)$의 최댓값이 $x=3$에서 1이다 이때, a와 b를 구하시오.

【2】 두 곡선 $y=a\sin x$와 $y=\cos x$및 $x=0$과 $x=\dfrac{\pi}{2}$로 둘러싸인 도형에서 $a\sin x \ge \cos x$인 부분의 넓이가 0과 크거나 같고 10과 작거나 같을 때, 자연수 상수 a를 모두 구하시오. (단, $a\ge 1$)

【3】 점 $(a,\ 0)$을 지나는 직선이 곡선 $y=(10x-1)e^x$와 접한다고 가정한다. 서로 다른 두 개의 접선이 존재하지 않는 정수 a를 모두 구하시오.

※ 다음을 읽고 문항 【4】에 답하시오.

원점 O로 하는 일사분면에 표시된 정수격자 도로망이 있다. 크기는 가로와 세로의 그물 개수가 각각 3이다. 동전을 던져 말을 움직는 말놀이를 규칙을 정하려고 한다. 점 $O(0,\ 0)$에서 검정말이 점 $A(3,\ 3)$에서 흰말이 출발한다. 온전한 동전을 번갈아 던져 앞면이 나오면 검정말은 위로, 흰말은 아래로 움직인다. 뒷면이 나오면 검정말은 오른쪽으로, 흰말은 왼쪽으로 움직인다. 검정말이 먼저 움직이는 것으로 시작한다. 도로망의 위 또는 아래에 도착한 말은 동전의 앞면이 나오는 경우에 각각 말은 움직이지 않는다.

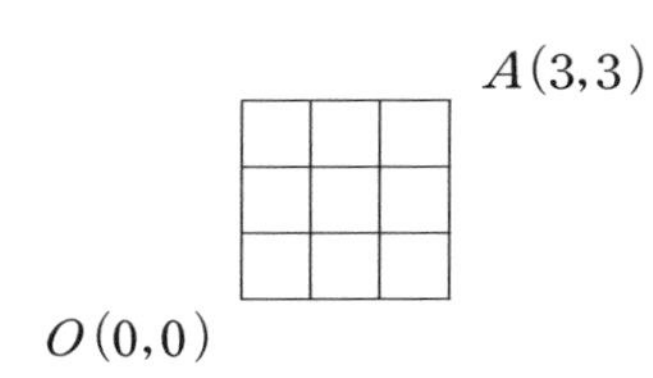

【4】 검정말과 흰말이 만나게 될 때의 확률을 계산하시오.

수시 논술전형 답안지

❶ 본 답안지는 연습용입니다. 실제 시험 답안지와는 다릅니다.

서강대학교
SOGANG UNIVERSITY

모집단위

답안지	성명	응시계열	
자연		인문/인문·자연계열	○
		자연	○

수험번호									
N	A	A							
			⓪	⓪	⓪	⓪	⓪	⓪	⓪
			①	①	①	①	①	①	①
			②	②	②	②	②	②	②
			③	③	③	③	③	③	③
			④	④	④	④	④	④	④
			⑤	⑤	⑤	⑤	⑤	⑤	⑤
			⑥	⑥	⑥	⑥	⑥	⑥	⑥
			⑦	⑦	⑦	⑦	⑦	⑦	⑦
			⑧	⑧	⑧	⑧	⑧	⑧	⑧
●	●	●	⑨	⑨	⑨	⑨	⑨	⑨	⑨

생년월일 (예:030418)					
⓪	⓪	⓪	⓪	⓪	⓪
①	①	①	①	①	①
②	②	②	②	②	②
③	③	③	③	③	③
④	④	④	④	④	④
⑤	⑤	⑤	⑤	⑤	⑤
⑥	⑥	⑥	⑥	⑥	⑥
⑦	⑦	⑦	⑦	⑦	⑦
⑧	⑧	⑧	⑧	⑧	⑧
⑨	⑨	⑨	⑨	⑨	⑨

① 인적사항 (모집단위, 성명, 수험번호, 생년월일)은 반드시 검은색 필기구(연필 제외)로 정확히 기재하기 바라며, 수정이 불가능합니다.
② 답안 작성은 검은색 필기구(연필 포함)를 사용하기 바랍니다(수정테이프 및 지우개 사용가능).
※ 검은색 이외의 필기구 절대 사용 불가
③ 성명에 반드시 감독관의 날인을 받아야 합니다.
④ 반드시 답안 영역 안에 작성하시기 바랍니다.

문제 1번

이 줄 밑에는 답안 작성을 하지 말 것

5. 2023학년도 서강대 논술 기출 1차

[문제 1] 다음 제시문을 읽고 물음에 답하시오.

[가] 중복조합의 수

서로 다른 n개에서 r개를 택하는 중복조합의 수는 ${}_{n}\mathrm{H}_{r} = {}_{n+r-1}\mathrm{C}_{r}$

[나] 이항정리

n이 자연수일 때, $(a+b)^{n} = {}_{n}\mathrm{C}_{0}a^{n} + {}_{n}\mathrm{C}_{1}a^{n-1}b^{1} + \cdots + {}_{n}\mathrm{C}_{r}a^{n-r}b^{r} + \cdots + {}_{n}\mathrm{C}_{n}b^{n}$

[다] 이산확률변수 X의 확률질량함수 $\mathrm{P}(X=x_i)=p_i(i=1,\ 2,\ \cdots,\ n)$에 대하여 다음이 성립한다.

① $0 \le p_i \le 1$

② $p_1+p_2+p_3+\cdots+p_n=1$

[라] 이산확률변수 X의 확률질량함수가 $\mathrm{P}(X=x_i)=p_i(i=1,\ 2,\ \cdots,\ n)$일 때, X의 기댓값(평균) $\mathrm{E}(X)$는

$\mathrm{E}(X)=x_1p_1+x_2p_2+\cdots+x_np_n$

[마] 확률변수 X가 이항분포 $\mathrm{B}(n,\ p)$를 따를 때, n이 충분히 크면 X는 근사적으로 정규분포 $\mathrm{N}(np,\ npq)$를 따른다. (단, $q=1-p$)

【1-1】상자 속에 0부터 10까지의 정수 중 하나를 적은 종이가 여러 장 들어있고, 각 숫자가 적힌 종이의 개수는 동일하지 않을 수 있다. 상자에서 임의로 종이 한 장을 한 번 꺼낼 때, 꺼낸 종이에 적힌 숫자를 확률변수 X라 하자. X에 대한 확률질량함수가

$\mathrm{P}(X=i)=\dfrac{{}_{11-i}\mathrm{H}_{i} \times {}_{11-i}\mathrm{H}_{i}}{{}_{d}\mathrm{H}_{10}}(i=0,\ 1,\ 2,\ \cdots,\ 10)$**일 때, 자연수 d의 값을 구하시오.**

【1-2】 문항 【1-1】의 상자에서 각 숫자가 적힌 종이의 개수를 조정하였다. 이 상자에서 임의로 종이 한 장을 한 번 꺼낼 때, 꺼낸 종이에 적힌 숫자를 확률변수 Y라 하자.

Y에 대한 확률질량함수가 $\mathrm{P}(Y=i)=\dfrac{{}_{21}\mathrm{C}_{2i+1}}{b}s^{20-2i}(1-s)^{2i+1}(i=0,\ 1,\ 2,\ \cdots,\ 10)$**일 때, b를 s에 대한 식으로 나타내시오. (단, s는 $0<s<1$을 만족하는 유리수)**

【1-3】 숫자 0이 적힌 종이가 50장, 1이 적힌 종이가 50장 들어있는 상자에서 임의로 종이를 한 장 꺼내어 숫자를 확인하고 다시 집어넣는 시행을 10회 반복한다. 10회 시행 후 1이 적힌 종이를 꺼낸 횟수 i에 대한 상금 $g(i)$가 아래의 표와 같다고 할 때, 상금의 기댓값을 구하시오.

i	0	1	2	3	4	5	6	7	8	9	10
$g(i)$	2	1	5	7	17	31	65	127	257	511	1025

【1－4】 숫자 0이 적힌 종이가 90장, 1이 적힌 종이가 10장 들어있는 상자에서 임의로 종이를 한 장 꺼내어 숫자를 확인하고 다시 집어넣는 시행을 100회 반복한다. 100회 시행 후 1이 적힌 종이 를 꺼낸 횟수가 k번 이상이면 상금을 준다고 한다. 상금을 받을 확률이 23%이상이 되는 자연 수 k의 최댓값을 아래의 표준정규분포표를 이용하여 구하시오.

z	0	0.1	0.2	0.3	0.4	0.5	0.6	0.7	0.8	0.9	1.0
$P(0 \leq Z \leq z)$	0.0000	0.0398	0.0793	0.1179	0.1554	0.1915	0.2257	0.2580	0.2881	0.3159	0.3413

[문제 2] 다음 제시문을 읽고 물음에 답하시오.

[가] 삼각형 ABC에서 꼭짓점 A, B, C에 각각 대응하는 대변의 길이를 a, b, c라 하면, 삼각형 ABC의 넓이 S는 $S=\frac{1}{2}ab\sin C$

[나] 함수 $f(x)$에 대하여 극한값 $\lim_{\Delta x \to 0}\frac{f(a+\Delta x)-f(a)}{\Delta x}$이 존재하면, 함수 $f(x)$는 $x=a$에서 미분가능하다고 한다. 이때 이 극한값을 함수 $f(x)$의 $x=a$에서의 순간변화율 또는 미분계수라 하며, 이것을 기호로 $f'(a)$와 같이 나타낸다. 함수 $f(x)$가 어떤 구간에 속하는 모든 x에서 미분가능하면 함수 $f(x)$는 그 구간에서 미분가능하다고 한다. 함수 $f(x)$가 $x=a$에서 미분가능할 때, 곡선 $y=f(x)$위의 점 $(a,\ f(a))$에서의 접선의 방정식은 $y-f(a)=f'(a)(x-a)$이다.

[다] $\lim_{x \to 0}\frac{\sin x}{x}=1$ (단, x의 단위는 라디안)

[라] 좌표평면 위의 한 점 $(x_1,\ y_1)$과 직선 $ax+by+c=0$사이의 거리는 $\frac{|ax_1+by_1+c|}{\sqrt{a^2+b^2}}$이다.

【2－1】 원점이 O인 좌표평면 위의 점 P의 좌표가 $(\cos t,\ \sin t)$이고, 점 Q의 좌표는 $(2\cos(t^2+t),\ 2\sin(t^2+t))$이다. 세 점 O, P, Q가 한 직선 위에 있지 않게 되는 실수 t에 대해서 함수 $S(t)$는 삼각형 OPQ의 넓이로 정의하고, 세 점 O, P, Q가 한 직선 위에 있는 t에 대해서는 $S(t)=0$이라고 정의한다. $-\sqrt{2\pi}<t<\sqrt{2\pi}$일 때, $S(t)$를 구하시오.

【2－2】 제시문 [나]를 이용하여, 위 문항 【2－1】에서의 함수 $S(t)$가 미분가능하지 않은 실수 t의 값을 모두 구하시오. (단, $-\sqrt{2\pi}<t<\sqrt{2\pi}$)

【2－3】 a가 1보다 큰 실수이고, 원점이 O인 좌표평면에서 곡선 $y=\frac{1}{x}$위의 한 점 $\mathrm{R}\left(a,\ \frac{1}{a}\right)$에 대하여 x축의 양의 방향과 반직선 OR이 이루는 각의 크기를 θ(라디안)라 하자. 점 R에서의 접선이 원 $x^2+y^2=\sqrt{3}$과 만날 때 θ의 범위를 구하시오.

【2－4】 위 문항 【2－3】의 점 R을 접점으로 하는 곡선 $y=\frac{1}{x}$의 접선이 원 $x^2+y^2=\sqrt{3}$과 서로 다른 두 점 A, B에서 만난다고 하자. 선분 AB의 길이를 θ의 함수 $l(\theta)$로 나타낼 때, 극한값 $\lim_{\theta \to 0+}\frac{\{l(\theta)\}^2-4\sqrt{3}}{\theta}$를 구하시오.

수시 논술전형 답안지

❶ 본 답안지는 연습용입니다. 실제 시험 답안지와는 다릅니다.

서강대학교
SOGANG UNIVERSITY

모집단위

답안지	성 명	응시계열	
자 연		인문/인문-자연계열	○
		자연	○

수험번호									
N	A	A							
●	●	●	⓪~⑨	⓪~⑨	⓪~⑨	⓪~⑨	⓪~⑨	⓪~⑨	⓪~⑨

생년월일 (예:030418)					
⓪~⑨	⓪~⑨	⓪~⑨	⓪~⑨	⓪~⑨	⓪~⑨

① 인적사항 (모집단위, 성명, 수험번호, 생년월일)은 반드시 검은색 필기구(연필 제외)로 정확히 기재하기 바라며, 수정이 불가능합니다.
② 답안 작성은 검은색 필기구(연필 포함)를 사용하기 바랍니다(수정테이프 및 지우개 사용가능).
※ 검은색 이외의 필기구 절대 사용 불가
③ 성명에 반드시 감독관의 날인을 받아야 합니다.
④ 반드시 답안 영역 안에 작성하시기 바랍니다.

문제 1번

이 줄 밑에는 답안 작성을 하지 말 것

수시 논술전형 답안지

이 줄 위에는 답안 작성을 하지 말 것

문제 2번

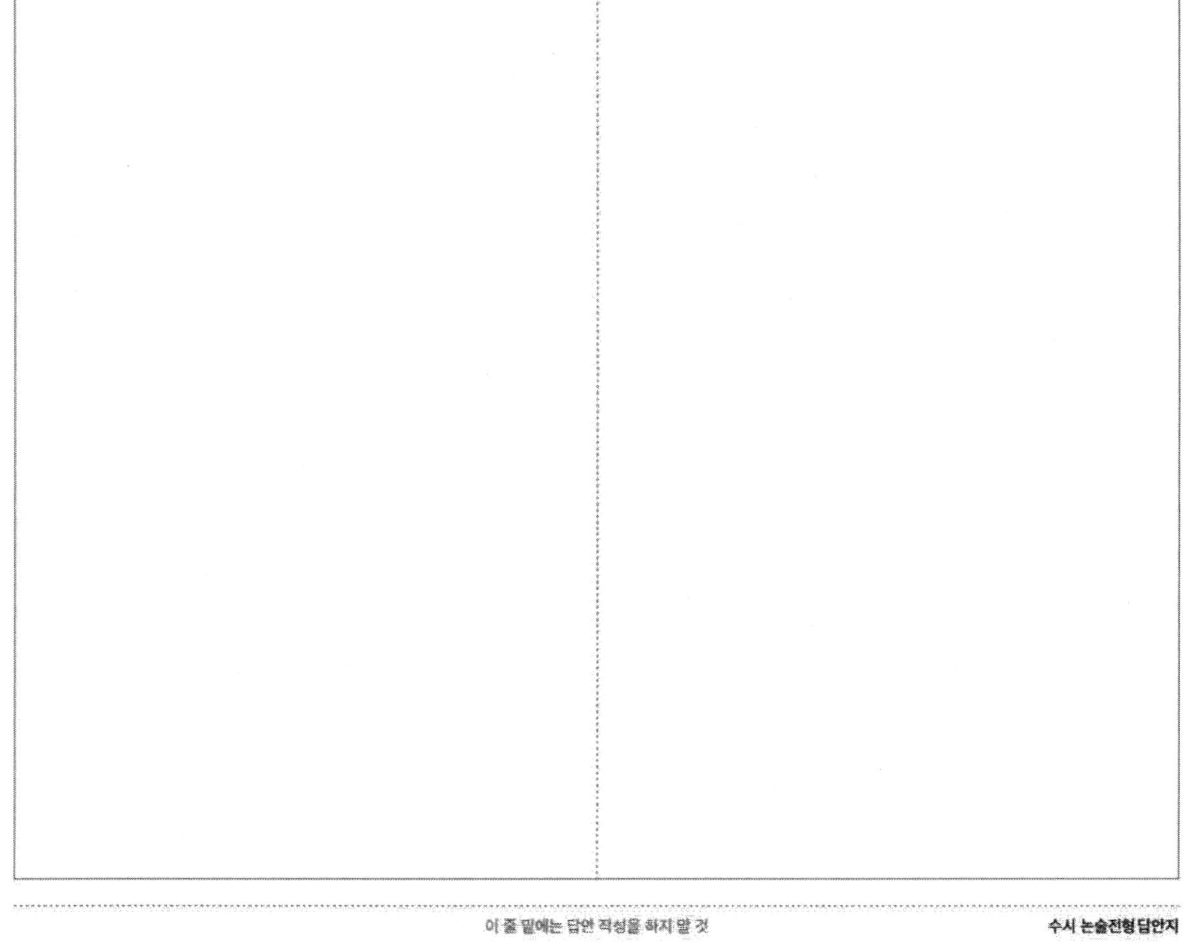

이 줄 밑에는 답안 작성을 하지 말 것

6. 2023학년도 서강대 논술 기출 2차

[문제 1] 다음 제시문을 읽고 물음에 답하시오.

[가] 좌표평면 위의 한 점 $(x_1,\ y_1)$과 직선 $ax+by+c=0$사이의 거리는 다음과 같다.

$$\frac{|ax_1+by_1+c|}{\sqrt{a^2+b^2}}$$

[나] 반지름의 길이가 r, 중심각의 크기가 θ(라디안)인 부채꼴의 호의 길이를 l, 넓이를 S라고 하면, $l=r\theta$, $S=\frac{1}{2}r^2\theta=\frac{1}{2}rl$이다.

[다] $\lim_{x\to 0}\frac{\sin x}{x}=1$ (단, x의 단위는 라디안)

【1-1】 아래 그림에서와 같이 좌표평면 위의 세 점 O(0, 0), A, B가 있고, 두 점 O, A를 지나는 직선과 두 점 A, B를 지나는 직선이 x축의 양의 방향과 이루는 각의 크기가 각각 $\alpha=\frac{\pi}{12}$, $\beta=\frac{\pi}{4}$라고 하자. 선분 OA와 선분 AB의 길이가 모두 1일 때, 두 점 O, B를 지나는 직선에 수직인 직선의 기울기를 구하시오.

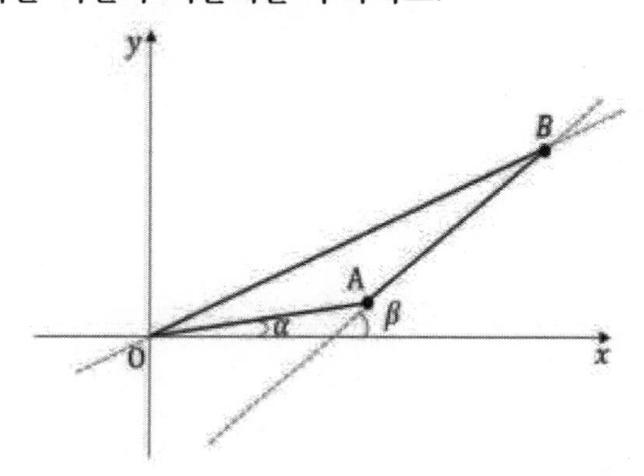

아래 그림에서와 같이 점 (1, 0)을 지나고 x축의 양의 방향과 이루는 각의 크기가 β(라디안) 인 직선 s가 있다. 이때, 중심이 C$(a,\ b)$인 원이 x축과 직선 s에 동시에 접한다. x축과의 접점을 P, 직선 s와의 접점을 Q라 하자. 아래 문항 【1-2】【1-4】에 답하시오. (단, $a<1$, $b>0$, $0<\beta\le\frac{\pi}{2}$)

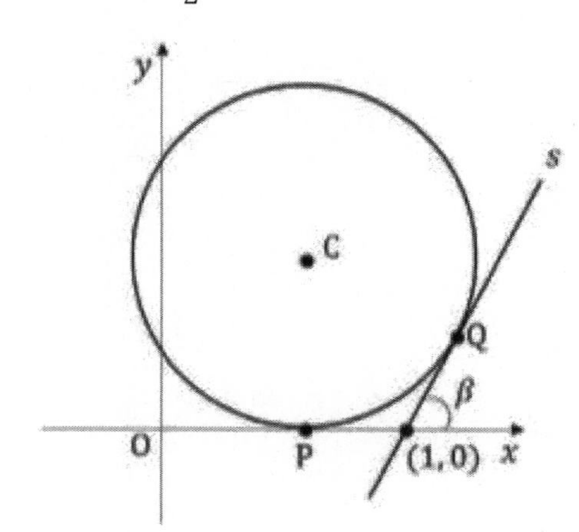

【1－2】 $\beta = \frac{\pi}{3}$일 때 위의 조건을 만족하는 원들의 중심을 모두 지나는 직선의 방정식을 구하시오. 그리고 이 직선의 방정식과 제시문 [가]를 이용하여 x축, 직선 s, $y = \frac{5}{12}x$로 이루어진 삼각형에 내접하는 원의 반지름을 구하시오.

【1－3】 $\beta = \frac{\pi}{3}$이고 P의 좌표가 $\left(\frac{n}{100},\ 0\right)$이라 하자. 중심각의 크기가 π(라디안)보다 작은 부채꼴 CPQ에서 호 PQ의 길이 l_n과 $\sum_{n=1}^{99} l_n$을 구하시오. (단, 자연수 n의 범위는 $1 \le n \le 99$)

【1－4】 P의 좌표가 $\left(\frac{1}{4},\ 0\right)$이라 하자. 중심각의 크기가 π(라디안)보다 작은 부채꼴 CPQ의 넓이를 $S(\beta)$라 할 때, $\lim_{\beta \to 0+} S(\beta)\tan\beta$의 값을 구하시오.

[문제 2] 다음 제시문을 읽고 물음에 답하시오.

[가] 함수 $f(x)$의 $x=a$에서의 극한값이 L이면 $x=a$에서의 우극한과 좌극한이 모두 존재하고 그 값 은 모두 L과 같다. 또 그 역도 성립하므로 다음이 성립한다.

$$\lim_{x \to a} f(x) = L \iff \lim_{x \to a+} f(x) = \lim_{x \to a-} f(x) = L$$

[나] 함수 $f(x)$가 어떤 구간에서 미분가능하고 이 구간의 모든 x에서
① $f'(x) > 0$이면 $f(x)$는 이 구간에서 증가한다.
② $f'(x) < 0$이면 $f(x)$는 이 구간에서 감소한다.

[다] 함수 $y=f(x)$의 그래프의 개형은 다음과 같은 사항을 조사하여 그릴 수 있다.

① 함수의 정의역과 치역
② 곡선의 대칭성과 주기
③ 좌표축과의 교점
④ 함수의 증가와 감소, 극대와 극소
⑤ 곡선의 볼록과 변곡점
⑥ $\lim_{x \to \infty} f(x)$, $\lim_{x \to -\infty} f(x)$, 점근선

[라] 닫힌구간 $[a, b]$에서 연속인 두 함수 $y=f(x)$, $y=g(x)$의 그래프와 두 직선 $x=a$, $x=b$로 둘러 싸인 도형의 넓이 S는

$$S = \int_a^b |f(x)-g(x)|dx$$

【2-1】 실수 x에 대하여 두 점 $(0,\ 1)$, $(x,\ e^x)$사이의 거리를 $d(x)$라 하자. 극한 $\lim_{x \to 0} \frac{d(x)}{x}$의 수렴, 발산 여부를 조사하고, 수렴하면 그 극한값을 구하시오. (단, 무리수 $e = \lim_{x \to 0}(1+x)^{\frac{1}{x}}$)

두 실수 p, c는 $0 < p < 1$와 $c > 0$를 만족하고, 곡선 $y = x^p\ (x \geq 0)$위의 점 $(c,\ c^p)$에서의 접선의 방정식을 $y = l(x)$라 하자. 문항 【2-2】 ~ 【2-4】에 답하시오.

【2-2】 $x \geq 0$일 때 부등식 $l(x) \geq x^p$이 성립함을 보이시오. 이 부등식과 제시문 [다]를 이용하여 두 함수 $y = x^p$, $y = l(x)$의 그래프의 개형을 한 평면에 그리시오.

【2-3】 $c > 0$에 대하여 두 함수 $y = x^p$, $y = l(x)$의 그래프와 두 직선 $x = 0$, $x = 1$로 둘러싸인 도형의 넓이가 최소가 되는 c의 값을 구하시오. (단, 여기서 p는 부등식 $0 < p < 1$을 만족하는 고정된 실수)

【2-4】 $c = \frac{1}{e}$일 때 두 함수 $y = x^p$, $y = l(x)$의 그래프와 직선 $x = 0$으로 둘러싸인 도형의 넓이를 $S(p)$, 두 함수 $y = x^p$, $y = l(x)$의 그래프와 직선 $x = 1$으로 둘러싸인 도형의 넓이를

$R(p)$라 하자. 극한 $\lim_{p \to 0+} \frac{S(p)+R(p)}{S(p)}$의 수렴, 발산 여부를 조사하고, 수렴하면 그 극한 값을 구하시오. (단, 무리수 $e = \lim_{x \to 0}(1+x)^{\frac{1}{x}}$)

수시 논술전형 답안지

❶ 본 답안지는 연습용입니다. 실제 시험 답안지와는 다릅니다.

서강대학교
SOGANG UNIVERSITY

모집단위

수험번호									
N	A	A							

생년월일 (예:030418)

답안지	성명	응시계열	
자연		인문/인문·자연계열	○
		자연	○

① 인적사항 (모집단위, 성명, 수험번호, 생년월일)은 반드시 검은색 필기구(연필 제외)로 정확히 기재하기 바라며, 수정이 불가능합니다.
② 답안 작성은 검은색 필기구(연필 포함)를 사용하기 바랍니다(수정테이프 및 지우개 사용가능).
※ 검은색 이외의 필기구 절대 사용 불가
③ 성명에 반드시 감독관의 날인을 받아야 합니다.
④ 반드시 답안 영역 안에 작성하시기 바랍니다.

문제 1번

이 줄 밑에는 답안 작성을 하지 말 것

수시 논술전형 답안지

이 줄 위에는 답안 작성을 하지 말 것

문제 2번

이 줄 밑에는 답안 작성을 하지 말 것

7. 2023학년도 서강대 모의 논술 1차

[문 제] 다음 제시문을 읽고 물음에 답하시오.

[가] 함수 $y=f(x)$가 $x=a$에서 미분가능할 때, 곡선 $y=f(x)$위의 점 $\mathrm{P}(a,\ f(a))$에서의 접선의 방정식은

$$y-f(a)=f'(a)(x-a)$$

[나] 삼각함수의 덧셈정리

$$\sin(\alpha\pm\beta)=\sin\alpha cos\beta\pm cos\alpha sin\beta$$

$$\cos(\alpha\pm\beta)=\cos\alpha cos\beta\mp sin\alpha sin\beta$$

$$\tan(\alpha\pm\beta)=\frac{\tan\alpha\pm tan\beta}{1\mp tan\alpha tan\beta}$$

[다] 함수 $f(x)$에서 x의 값이 한없이 커질 때, $f(x)$의 값이 일정한 값 L에 한없이 가까워지면 이것을 기호로

$$\lim_{x\to\infty}f(x)=L \quad \text{또는} \quad x\to\infty \text{일 때 } f(x)\to L$$

과 같이 나타낸다.

함수 $f(x)$에서 x의 값이 a보다 크면서 a에 한없이 가까워질 때, $f(x)$의 값이 일정한 값 L에 한없이 가까워지면 L을 함수 $f(x)$의 $x=a$에서의 우극한이라고 하고, 이것을 기호로

$$\lim_{x\to a+}f(x)=L \quad \text{또는} \quad x\to a+ \text{일 때 } f(x)\to L$$

과 같이 나타낸다.

[라] 함수 $f(x)$가 어떤 구간에 속하는 임의의 두 실수 $x_1,\ x_2$에서

$$x_1<x_2 \text{일 때, } f(x_1)<f(x_2)$$

이면, 함수 $f(x)$는 이 구간에서 증가한다고 한다. 또,

$$x_1<x_2 \text{일 때, } f(x_1)>f(x_2)$$

이면, 함수 $f(x)$는 이 구간에서 감소한다고 한다.

[마] 사잇값의 정리

함수 $f(x)$가 닫힌구한 $[a,\ b]$에서 연속이고 $f(a)\neq f(b)$이면 $f(a)$와 $f(b)$사이에 있는 임의의 의 값 k에 대하여 $f(c)=k$인 c가 a와 b사이에 적어도 하나 존재한다.

[문 제] 제시문 [가]-[마]를 참고하여 다음 물음에 답하시오.

$a > 0$이고, 곡선 $y = x^2$위의 점 $\mathrm{P}(a,\ a^2)$에서의 접선을 l이라 하자.

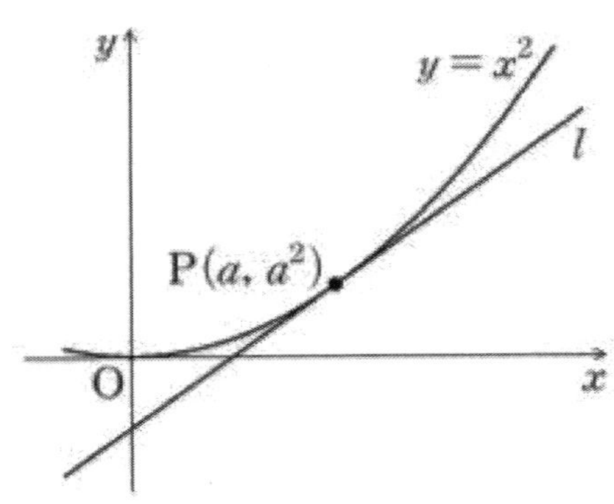

【1－1】 직선 l과 점 P에서 접하고 x축과 접하는 두 원 중, 직선 l보다 아래에 있는 원의 반지름을 구하시오.

【1－2】 직선 l과 점 P에서 접하고 y축과 접하는 두 원 중, 직선 l보다 위에 있는 원의 반지름을 구하시오.

【1－3】 문제 【1－1】과【1－2】에서 구한 원의 반지름을 각각 $g(a)$, $h(a)$라 할 때, $f(x) = \dfrac{xh(x)}{g(x)}(x > 0)$라 하자. 극한값 $\lim\limits_{x \to 0+} f(x)$와 $\lim\limits_{x \to \infty} f(x)$가 존재하는지 조사하고, 존재하면 극한값을 구하시오.

【1－4】 문제 【1－3】에서 주어진 함수 $f(x)$의 정의역이 열린구간 $(0,\ \infty)$일 때, $f(x)$의 치역을 구하시오.

수시 논술전형 답안지

❶ 본 답안지는 연습용입니다. 실제 시험 답안지와는 다릅니다.

서강대학교 SOGANG UNIVERSITY

모집단위

답안지	성명	응시계열	
자연		인문/인문·자연계열	○
		자연	○

수험번호									
N	A	A							
			⓪	⓪	⓪	⓪	⓪	⓪	⓪
			①	①	①	①	①	①	①
			②	②	②	②	②	②	②
			③	③	③	③	③	③	③
			④	④	④	④	④	④	④
			⑤	⑤	⑤	⑤	⑤	⑤	⑤
			⑥	⑥	⑥	⑥	⑥	⑥	⑥
			⑦	⑦	⑦	⑦	⑦	⑦	⑦
			⑧	⑧	⑧	⑧	⑧	⑧	⑧
●	●	●	⑨	⑨	⑨	⑨	⑨	⑨	⑨

생년월일 (예:030418)					
⓪	⓪	⓪	⓪	⓪	⓪
①	①	①	①	①	①
②	②	②	②	②	②
③	③	③	③	③	③
④	④	④	④	④	④
⑤	⑤	⑤	⑤	⑤	⑤
⑥	⑥	⑥	⑥	⑥	⑥
⑦	⑦	⑦	⑦	⑦	⑦
⑧	⑧	⑧	⑧	⑧	⑧
⑨	⑨	⑨	⑨	⑨	⑨

① 인적사항 (모집단위, 성명, 수험번호, 생년월일)은 반드시 검은색 필기구(연필 제외)로 정확히 기재하기 바라며, 수정이 불가능합니다.
② 답안 작성은 검은색 필기구(연필 포함)를 사용하기 바랍니다(수정테이프 및 지우개 사용가능).
※ 검은색 이외의 필기구 절대 사용 불가
③ 성명에 반드시 감독관의 날인을 받아야 합니다.
④ 반드시 답안 영역 안에 작성하시기 바랍니다.

문제 1번

이 줄 밑에는 답안 작성을 하지 말 것

8. 2023학년도 서강대 모의 논술 2차

[문제 1] 다음 제시문을 읽고 물음에 답하시오.

[가] 독립

두 사건 A, B에 대하여 한 사건이 일어나는 것이 다른 사건이 일어날 확률에 아무런 영향을 주지 않을 때, 즉 $P(B|A) = P(B)$일 때, 두 사건 A, B는 서로 독립이라 한다.

[나] 이항분포

1회의 시행에서 사건 A가 일어날 확률이 p일 때, n회의 독립시행에서 사건 A가 일어나는 횟수를 확률변수 X라 하자. 확률변수 X가 가지는 값은 0, 1, …, n이며, 그 확률질량함수는

$x = 0$일 때, $P(X = 0) = (1-p)^n$,

$x = 1, \cdots, n-1$일 때, $P(X = x) = {}_nC_x p^x (1-p)^{n-x}$

$x = n$일 때, $P(X = n) = p^n$이다.

[다] 기댓값

이산확률 변수 X의 확률분포가 아래 표와 같을 때,

X	x_1	x_2	$\cdots$	x_n	합계
$P(X = x_i)$	p_1	p_2	$\cdots$	p_n	1

$x_1p_1 + x_2p_2 + \cdots + x_np_n$을 이산확률변수 X의 기댓값 또는 평균이라 하고, 이것을 기호로 $E(X)$와 같이 나타낸다.

[문제] 제시문 [가]-[다]를 참고하여 다음 물음에 답하시오.

n명의 사람이 옆으로 일렬로 앉아서 레크리에이션 강사를 보고 있다. ($n \geq 2$)강사는 사람들을 서로 인사시키기 위해 말한다. "양 옆 사람에게 한 번씩 인사하세요. 제가 하나! 하면 왼쪽 또는 오른쪽으로 인사하고 둘! 하면 처음과 반대쪽으로 인사하세요." 사람들은 왼쪽 또는 오른쪽 중 임의의 방향으로 인사를 시작한다. 이 때, 양 끝의 두 사람(사람 1과 사람 n)은 사람이 있는 한 쪽 방향으로만 인사를 두 번 반복한다.

인접한 두 사람이 마주보고 인사를 하게 되면 '인사가 성공했다'라고 인사에 성공한 쌍이라 한다. 예를 들어, $n = 3$일 때 인사를 하는 방법은 아래와 같이 두 가지 경우가 있고, 각각의 경우 인사에 성공한 쌍의 수는 2이다.

	하나!	둘!	인사에 성공한 쌍의 수
경우 1	R L L	R R L	2
경우 2	R R L	R L L	2

(R은 오른쪽으로 인사를, L은 왼쪽으로 인사를 나타내고, 인접한 두 사람이 R L로 표시될 때 두 사람은 인사가 성공하는 쌍이 된다.)

【1-1】. $n=4$일 때, 인사에 성공한 쌍의 수의 기댓값을 구하시오.

【1-2】. $n \geq 3$일 때, 인사에 성공한 쌍의 수의 기댓값을 구하시오.

【1-3】. 모든 쌍이 인사에 성공할 확률을 구하시오.

【1-4】. $n \geq 4$일 때, 인사에 성공한 쌍의 수의 최댓값 m과 인사에 성공한 쌍의 수가 k일 확률을 구하시오. (단, $2 \leq k \leq m$)

수시 논술전형 답안지

● 본 답안지는 연습용입니다. 실제 시험 답안지와는 다릅니다.

서강대학교
SOGANG UNIVERSITY

모 집 단 위

답 안 지	성 명	응시계열	
자 연		인문/인문·자연계열	○
		자연	○

수 험 번 호									
N	A	A							
			⓪	⓪	⓪	⓪	⓪	⓪	⓪
			①	①	①	①	①	①	①
			②	②	②	②	②	②	②
			③	③	③	③	③	③	③
			④	④	④	④	④	④	④
			⑤	⑤	⑤	⑤	⑤	⑤	⑤
			⑥	⑥	⑥	⑥	⑥	⑥	⑥
			⑦	⑦	⑦	⑦	⑦	⑦	⑦
			⑧	⑧	⑧	⑧	⑧	⑧	⑧
●	●	●	⑨	⑨	⑨	⑨	⑨	⑨	⑨

생년월일 (예:030418)					
⓪	⓪	⓪	⓪	⓪	⓪
①	①	①	①	①	①
②	②	②	②	②	②
③	③	③	③	③	③
④	④	④	④	④	④
⑤	⑤	⑤	⑤	⑤	⑤
⑥	⑥	⑥	⑥	⑥	⑥
⑦	⑦	⑦	⑦	⑦	⑦
⑧	⑧	⑧	⑧	⑧	⑧
⑨	⑨	⑨	⑨	⑨	⑨

① 인적사항 (모집단위, 성명, 수험번호, 생년월일)은 반드시 검은색 필기구(연필 제외)로 정확히 기재하기 바라며, 수정이 불가능합니다.
② 답안 작성은 검은색 필기구(연필 포함)를 사용하기 바랍니다(수정테이프 및 지우개 사용가능).
※ 검은색 이외의 필기구 절대 사용 불가
③ 성명에 반드시 감독관의 날인을 받아야 합니다.
④ 반드시 답안 영역 안에 작성하시기 바랍니다.

문제 1번

이 줄 밑에는 답안 작성을 하지 말 것

9. 2022학년도 서강대 논술 기출 1차

[문제 1] 다음 제시문을 읽고 물음에 답하시오.

[가] 어떤 시행에서 표본공간 S의 각 원소에 단 하나의 실수가 대응되는 함수를 확률변수라 하고, 확률변수 X가 어떤 값 x를 가질 확률을 기호로

$$\mathrm{P}(X=x)$$

와 같이 나타낸다.

[나] 이산확률변수 X의 확률질량함수가 $\mathrm{P}(X=x_i)=p_i\ (i=1,\ 2,\ \cdots,\ n)$일 때 확률변수 X의 기댓값은 다음과 같다.

$$\mathrm{E}(X)=x_1p_1+x_2p_2+\cdots+x_np_n=\sum_{i=1}^{n}x_ip_i$$

[다] 함수 $f(x)$가 닫힌구간 $[a,\ b]$에서 연속이면 다음 등식이 성립한다.

$$\lim_{n\to\infty}\sum_{k=1}^{n}f(x_k)\Delta x=\int_a^b f(x)dx\left(\text{단, }\Delta x=\frac{b-a}{n},\ x_k=a+k\Delta x\right)$$

【1－1】 어느 봉사 동아리에서 신입 회원을 모집했는데, 20명의 학생이 지원 서류를 제출하였다. 그중에서 4명의 남학생과 3명의 여학생은 자신의 성별을 밝혔으나, 나머지 13명은 성별을 밝히지 않았다. 그리고 성별을 밝히지 않은 학생이 남학생 또는 여학생일 확률은 각각 $\frac{1}{2}$로 같다. 20명의 신입회원 신청자들 중에서 여학생의 수를 확률변수 X라고 할 때, X의 확률질량함수와 분산을 구하시오.

【1－2】 이산확률변수 X가 자연수들로 이루어진 집합 $\{2n+1,\ 2n+2,\ 2n+3,\ \cdots,\ 4n\}$에서 임의로 선택된 숫자일 때, $\lim_{n\to\infty}2n\mathrm{E}\left(\frac{1}{X}\right)$을 구하시오.

【1－3】 한 개의 주사위를 던져 1, 2, 3이 나오면 동전 한 개를 던진다. 이때 앞면이 나오면 주사위에서 얻은 결과에 1을 더하고 뒷면이 나오면 2를 더한다. 한편, 4, 5, 6이 나오면 금화 6개와 은화 4개가 들어있는 주머니에서 임의로 두 개를 동시에 꺼내어 금화 두 개가 나오면 주사위에서 얻은 결과에서 1을 빼고 아니면 2를 뺀다. 이렇게 해서 얻어진 결과가 4이상일 때, 처음 던진 주사위의 눈이 짝수일 확률을 구하시오.

【1－4】 정상적인 동전의 한 면은 빨간색, 다른 면은 초록색이고 각 면이 나올 확률은 같다. 반면, 비정상적인 동전의 한 면은 빨간색, 다른 면은 파란색이고 빨간색 면이 나올 확률은 p이다.
두 개의 주머니 A와 B가 있다. 주머니 A에는 정상적인 동전과 비정상적인 동전이 한 개씩 들어있고, 주머니 B에는 정상적인 동전 한 개와 비정상적인 동전 두 개가 들어있다.
주머니 B에서 동전 한 개를 임의로 꺼내어 주머니 A에 넣은 후 주머니 A에서 두 개의

동전을 동시에 꺼내어 던졌다. 이때 같은 색의 면이 나올 확률이 $\frac{4}{9}$가 되게 하는 p의 값을 구하시오.

[문제 2] 다음 제시문을 읽고 물음에 답하시오.

[가] n이 자연수일 때, 다항식 $(a+b)^n$을 전개하면 다음과 같은 전개식을 얻을 수 있고, 이것을 이항정리라고 한다.

$$(a+b)^n = {}_nC_0a^n + {}_nC_1a^{n-1}b^1 + \cdots + {}_nC_ra^{n-r}b^r + \cdots + {}_nC_nb^n$$

[나] 함수 $f(x)$가 어떤 열린구간에서 미분가능하고, 이 구간의 모든 x에 대하여

① $f'(x) > 0$이면 $f(x)$는 이 구간에서 증가한다.

② $f'(x) < 0$이면 $f(x)$는 이 구간에서 감소한다.

[다] ① 세 수열 $\{a_n\}$, $\{b_n\}$, $\{c_n\}$과 모든 자연수 n에 대하여, $a_n \le c_n \le b_n$이고 $\lim_{n\to\infty} a_n = \lim_{n\to\infty} b_n = L$이면 $\lim_{n\to\infty} c_n = L$이다.

② 세 함수 $f(x)$, $g(x)$, $h(x)$와 a에 가까운 모든 실수 x에 대하여, $f(x) \le h(x) \le g(x)$이고 $\lim_{x\to a} f(x) = \lim_{x\to a} g(x) = L$이면 $\lim_{x\to a} h(x) = L$이다. 또한, 이와 같은 함수의 극한의 관계는 $x\to a+$, $x\to a-$, $x\to\infty$, $x\to-\infty$일 때도 성립한다.

[라] 함수 $f(x)$의 그래프의 개형을 그릴 때에는 다음을 고려한다.

① 함수의 정의역과 치역

② 좌표축과의 교점

③ 함수의 증가와 감소, 극대와 극소, 곡선의 오목과 볼록, 변곡점

④ 점근선

【2－1】 제시문 [가]를 이용하여, 다음 부등식이 성립함을 보이시오.

$$(1+n)^{\frac{1}{n}} < 1+\sqrt{\frac{2}{n-1}} \quad (\text{단, } n\text{은 1보다 큰 자연수})$$

【2－2】 제시문 [나]를 이용하여, 다음 부등식이 성립함을 보이시오.

$$\frac{1}{x+1} < \ln\left(1+\frac{1}{x}\right) < \frac{1}{\sqrt{x(x+1)}} \quad (\text{단, } x\text{는 양의 실수})$$

집합 $\{x|x>0\}$을 정의역으로 갖는 함수 $f(x)=\left(1+\frac{1}{x}\right)^x$에 대하여, 문항【2－3】~【2－5】에 답하시오.

【2－3】 함수 $f(x)$가 열린구간 $(0, \infty)$에서 증가함을 보이시오.

【2－4】 함수 $g(x)$를 다음과 같이 정의하자.

$$g(x) = \begin{cases} f\left(\frac{1}{n}\right) & \left(0 < x \le 1,\ \text{단, } n\text{은 } \frac{1}{x}\text{의 정수부분}\right) \\ 3 & (x > 1) \end{cases}$$

임의의 양의 실수 x에 대하여 $f(x) \le g(x)$임을 보이시오.

【2－5】문항【2－1】~【2－4】를 이용하여, 함수 $y=f(x)$의 그래프의 개형을 그리시오.

수시 논술전형 답안지

● 본 답안지는 연습용입니다. 실제 시험 답안지와는 다릅니다.

서강대학교
SOGANG UNIVERSITY

모 집 단 위

답 안 지	성 명	응 시 계 열	
자 연		인문/인문·자연계열	○
		자연	○

수 험 번 호									
N	A	A							
			⓪	⓪	⓪	⓪	⓪	⓪	⓪
			①	①	①	①	①	①	①
			②	②	②	②	②	②	②
			③	③	③	③	③	③	③
			④	④	④	④	④	④	④
			⑤	⑤	⑤	⑤	⑤	⑤	⑤
			⑥	⑥	⑥	⑥	⑥	⑥	⑥
			⑦	⑦	⑦	⑦	⑦	⑦	⑦
			⑧	⑧	⑧	⑧	⑧	⑧	⑧
●	●	●	⑨	⑨	⑨	⑨	⑨	⑨	⑨

생년월일 (예:030418)					
⓪	⓪	⓪	⓪	⓪	⓪
①	①	①	①	①	①
②	②	②	②	②	②
③	③	③	③	③	③
④	④	④	④	④	④
⑤	⑤	⑤	⑤	⑤	⑤
⑥	⑥	⑥	⑥	⑥	⑥
⑦	⑦	⑦	⑦	⑦	⑦
⑧	⑧	⑧	⑧	⑧	⑧
⑨	⑨	⑨	⑨	⑨	⑨

① 인적사항 (모집단위, 성명, 수험번호, 생년월일)은 반드시 검은색 필기구(연필 제외)로 정확히 기재하기 바라며, 수정이 불가능합니다.
② 답안 작성은 검은색 필기구(연필 포함)를 사용하기 바랍니다(수정테이프 및 지우개 사용가능).
※ 검은색 이외의 필기구 절대 사용 불가
③ 성명에 반드시 감독관의 날인을 받아야 합니다.
④ 반드시 답안 영역 안에 작성하시기 바랍니다.

문제 1번

이 줄 밑에는 답안 작성을 하지 말 것

수시 논술전형 답안지

이 줄 위에는 답안 작성을 하지 말 것

문제 2번

이 줄 밑에는 답안 작성을 하지 말 것

10. 2022학년도 서강대 논술 기출 2차

[문제 1] 다음 제시문을 읽고 물음에 답하시오.

[가] 함수 $f(x)$와 실수 a에 대하여

① 함수 $f(x)$가 $x=a$에서 정의되고
② 극한값 $\lim_{x \to a} f(x)$가 존재하며
③ $\lim_{x \to a} f(x) = f(a)$
일 때, 함수 $f(x)$는 $x=a$에서 연속이라고 한다.
[나] 함수 $f: X \to Y$가 일대일대응이면 f의 역함수 $f^{-1}: Y \to X$가 존재한다.
[다] 등비급수 $\sum_{n=1}^{\infty} ar^{n-1}$ $(a \neq 0)$은 $|r|<1$일 때 수렴하고 그 합은 $\frac{a}{1-r}$이다.

【1－1】 한국시리즈가 코로나 사태로 인하여 3번의 경기 중에서 2번을 먼저 이기는 팀이 최종우승하 는 방식으로 축소되었다. 한국시리즈에 진출한 두 팀 A와 B가 첫 경기를 진행하였는데 A팀 이 패하였다. 하지만 코로나 사태가 진정되어 이미 치러진 1차전을 포함하여 5번의 경기 중 에서 3번을 먼저 이기는 팀이 최종 우승하는 방식으로 되돌아가기로 결정하였다. A팀이 경기 마다 승리할 확률이 p일 때, 이러한 결정에도 불구하고 A팀이 최종 우승할 확률이 변하지 않을 p의 값을 구하시오. (단, $0<p<1$이고 두 팀이 비기는 경우는 없다.)

【1－2】 함수 $f(x)=\begin{cases} b-ae^{-2x} & (0<x<p) \\ ae^{2x} & (x \geq p) \end{cases}$가 열린구간 $(0, \infty)$에서 연속함수가 되기 위한 p의 값을 구하시오. (단, a, b는 $0<2a<b$를 만족하는 상수)

【1－3】 함수 $f: \left[0, \frac{1}{e}\right] \to [0, 1]$가 닫힌구간 $\left[0, \frac{1}{e}\right]$에서 연속이고 열린구간 $\left(0, \frac{1}{e}\right)$에서 미분가능하며 $f(x)=xe^{f(x)}$를 만족할 때, 함수 f의 역함수가 존재함을 보이고 $\int_0^{\frac{1}{e}} f(x)dx$의 값을 구하시오.

【1－4】열린구간 $(0, \infty)$에서 연속인 함수 $f(x)$가 $\int_1^2 f(x)dx=3$을 만족하고 모든 양의 실수 x에 대하여 $f(x)-2f(2x)=\frac{3}{x^4}$을 만족한다. 함수 $g(x)=\lim_{n \to \infty} 2^n f(2^n x)$에 대하여, $\int_1^2 g(x)dx$의 값을 구하시오.

[문제 2] 다음 제시문을 읽고 물음에 답하시오.

[가] 함수 $f(x)$가 닫힌구간 $[a, b]$에서 연속이고 $f(a) \neq f(b)$일 때, $f(a)$와 $f(b)$사이의 임의의 실수 k에 대하여 $f(c) = k$인 c가 열린구간 (a, b)에 적어도 하나 존재한다.

[나] 함수 $f(x)$가 닫힌구간 $[a, b]$에서 연속이고 열린구간 (a, b)에서 미분가능하면 $\dfrac{f(b)-f(a)}{b-a} = f'(c)$인 c가 열린구간 (a, b)에 적어도 하나 존재한다.

[다] 함수 $f(x)$가 닫힌구간 $[a, b]$에서 연속이면 $f(x)$는 $[a, b]$에서 반드시 최댓값과 최솟값을 갖는다.

[라] $0 < x < \dfrac{\pi}{2}$일 때 $\sin x < x < \tan x$이 성립한다.

【2－1】 함수 $f(x)$가 실수 전체의 집합에서 이계도함수를 가지며 $f(1) = f(2) = 3$, $f(3) = 5$일 때, $f'(a) = \dfrac{3}{2}$인 a와 $f''(b) > 1$인 b가 모두 열린구간 $(1, 3)$에 존재함을 보이시오.

【2－2】 함수 $f(x)$가 실수 전체의 집합에서 연속이고, 모든 x에 대하여 $f(x+2) = f(x)$를 만족하며, $\displaystyle\int_1^3 f(x)dx = 1$일 때, $\displaystyle\lim_{x \to \infty} \frac{1}{x}\int_{-x}^{x} f(t)dt$의 값을 구하시오.

함수 $f(x) = \dfrac{\sin x}{x}$에 대하여, 문항【2－3】과【2－4】에 답하시오.

【2－3】 함수 $f(x)$가 열린구간 $\left(0, \dfrac{\pi}{2}\right)$에서 감소함을 보이시오.

【2－4】 임의의 자연수 k에 대하여 $\displaystyle\lim_{x \to 0+} \int_x^{3x} \frac{(f(t))^k}{t}dt$의 값을 구하시오.

수시 논술전형 답안지

● 본 답안지는 연습용입니다. 실제 시험 답안지와는 다릅니다.

서강대학교
SOGANG UNIVERSITY

모 집 단 위

답 안 지	성 명	응시계열	
자 연		인문/인문·자연계열	○
		자연	○

수 험 번 호									
N	A	A							
			⓪	⓪	⓪	⓪	⓪	⓪	⓪
			①	①	①	①	①	①	①
			②	②	②	②	②	②	②
			③	③	③	③	③	③	③
			④	④	④	④	④	④	④
			⑤	⑤	⑤	⑤	⑤	⑤	⑤
			⑥	⑥	⑥	⑥	⑥	⑥	⑥
			⑦	⑦	⑦	⑦	⑦	⑦	⑦
			⑧	⑧	⑧	⑧	⑧	⑧	⑧
●	●	●	⑨	⑨	⑨	⑨	⑨	⑨	⑨

생년월일 (예:030418)					
⓪	⓪	⓪	⓪	⓪	⓪
①	①	①	①	①	①
②	②	②	②	②	②
③	③	③	③	③	③
④	④	④	④	④	④
⑤	⑤	⑤	⑤	⑤	⑤
⑥	⑥	⑥	⑥	⑥	⑥
⑦	⑦	⑦	⑦	⑦	⑦
⑧	⑧	⑧	⑧	⑧	⑧
⑨	⑨	⑨	⑨	⑨	⑨

① 인적사항 (모집단위, 성명, 수험번호, 생년월일)은 반드시 검은색 필기구(연필 제외)로 정확히 기재하기 바라며, 수정이 불가능합니다.
② 답안 작성은 검은색 필기구(연필 포함)를 사용하기 바랍니다(수정테이프 및 지우개 사용가능).
※ 검은색 이외의 필기구 절대 사용 불가
③ 성명에 반드시 감독관의 날인을 받아야 합니다.
④ 반드시 답안 영역 안에 작성하시기 바랍니다.

문제 1번

이 줄 밑에는 답안 작성을 하지 말 것

수시 논술전형답안지

이 줄 위에는 답안 작성을 하지 말 것

문제 2번

이 줄 밑에는 답안 작성을 하지 말 것

11. 2022학년도 서강대 모의 논술 1차

[문제 1] 다음 제시문을 읽고 물음에 답하시오.

[가] 삼각형 ABC의 외접원의 반지름의 길이를 R, 삼각형 ABC의 넓이를 S라고 하면

$$\frac{a}{\sin A}=\frac{b}{\sin B}=\frac{c}{\sin C}=2R$$

$$a^2=b^2+c^2-2bc\cos A$$

$$b^2=c^2+a^2-2ca\cos B$$

$$c^2=a^2+b^2-2ab\cos C$$

$$S=\frac{1}{2}ab\sin C=\frac{1}{2}bc\sin A=\frac{1}{2}ca\sin B$$

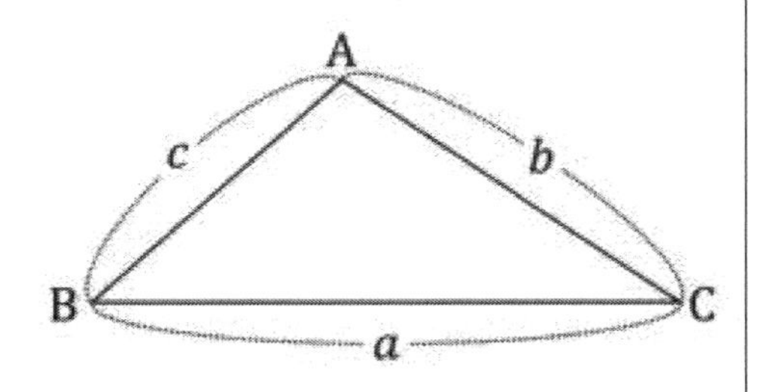

[나] 수열 $\{a_n\}$의 첫째항부터 제n항까지의 합

$$a_1+a_2+a_3+\cdots+a_n$$

을 기호 $\sum$를 사용하여 $\sum_{k=1}^{n} a_k$와 같이 나타낼 수 있다. 즉

$$a_1+a_2+a_3+\cdots+a_n=\sum_{k=1}^{n} a_k$$

이다.

[다] 아래 그림과 같이 모선의 길이가 3이고 밑면의 지름의 길이가 2인 직원뿔 모양의 산이 있다. 원뿔의 한 모선이 밑면과 만나는 점을 출발점 $\mathrm{A}=\mathrm{P}_0$, 이 모선 위에서 정상으로부터 1만큼 떨어진 점을 도착점 B라고 하자. 선분 AB를 n등분한 점에 n개의 전망대 $\mathrm{P}_1, \cdots, \mathrm{P}_n=\mathrm{B}$가 있다(단, n은 1보다 큰 자연수). 또한, A를 출발하여 전망대 $\mathrm{P}_1, \cdots, \mathrm{P}_{n-1}$을 차례로 거쳐 B에 도착하는 경로가 있다. 이때, 두 지점 P_{k-1}과 P_k $(k=1, \cdots, n)$ 사이의 경로는 산 주위를 한 바퀴 회전하면서 두 지점을 최단 거리로 잇는다.

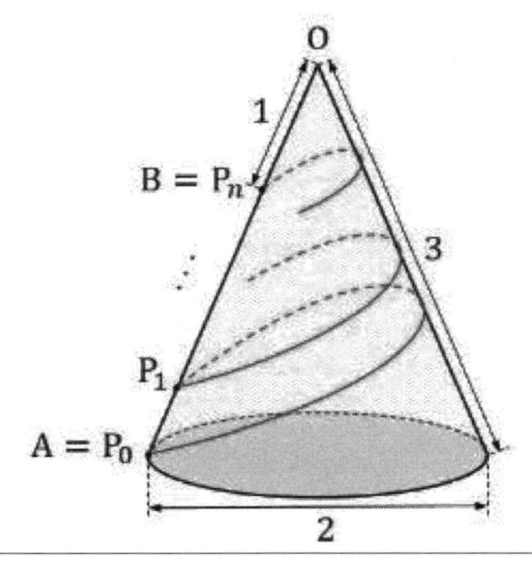

제시문 [가]-[다]를 참고하여 다음 물음에 답하시오.

[1-1] n 보다 작거나 같은 자연수 k 에 대하여 P_{k-1} 과 P_k 를 잇는 경로의 길이를 L_k 라 할 때

$$L_k = \sqrt{\frac{12}{n^2}k^2 - \left(\frac{36}{n} + \frac{12}{n^2}\right)k + 27 + \frac{18}{n} + \frac{4}{n^2}}$$ 임을 보이시오.

[1-2] 문항 [1-1]에서 정의한 L_k 에 대하여, 극한값 $\lim_{n \to \infty} \sum_{k=1}^{n} \frac{L_k^2}{n}$ 을 구하시오.

[1-3] 두 점 P_0 와 P_1 을 잇는 경로 위의 점 중에서 밑면으로부터의 높이가 최대인 점을 Q_n 이라고 하고, 점 Q_n 의 밑면으로부터의 높이를 h_n 이라고 하자. h_n 을 n 에 대한 식으로 나타내고, 극한값 $\lim_{n \to \infty} h_n$ 을 구하시오.

[1-4] 원뿔의 꼭짓점을 O 라고 하고 문항 [1-3]에서 정의한 점 Q_n 과 높이 h_n 에 대하여 $a_n = \overline{\mathrm{OQ}_n} \times h_n^2$ 이라고 할 때, $n \geq 2$ 인 모든 자연수 n 에 대하여 $a_n > a_{n+1}$ 임을 보이시오.

수시 논술전형 답안지

본 답안지는 연습용입니다. 실제 시험 답안지와는 다릅니다.

서강대학교
SOGANG UNIVERSITY

모 집 단 위

수 험 번 호									
N	A	A							

생년월일 (예:030418)					

답 안 지
자 연

성 명

응시계열	
인문/인문·자연계열	○
자연	○

① 인적사항 (모집단위, 성명, 수험번호, 생년월일)은 반드시 검은색 필기구(연필 제외)로 정확히 기재하기 바라며, 수정이 불가능합니다.
② 답안 작성은 검은색 필기구(연필 포함)를 사용하기 바랍니다(수정테이프 및 지우개 사용가능).
※ 검은색 이외의 필기구 절대 사용 불가
③ 성명에 반드시 감독관의 날인을 받아야 합니다.
④ 반드시 답안 영역 안에 작성하시기 바랍니다.

문제 1번

이 줄 밑에는 답안 작성을 하지 말 것

12. 2022학년도 서강대 모의 논술 2차

[문제 1] 다음 제시문을 읽고 물음에 답하시오.

[가] 함수 $f(x)$가 닫힌구간 $[a, b]$에서 연속이고 열린구간 (a, b)에서 미분가능하면 $\frac{f(b)-f(a)}{b-a}=f'(c)$인 c가 열린구간 (a, b)에 적어도 하나 존재한다.

[나] 두 함수 $f(x)$, $g(x)$가 닫힌구간 $[a,b]$에서 미분가능하고, $f'(x)$, $g'(x)$가 연속일 때, 다음 등식이 성립한다.

$$\int_a^b f(x)g'(x)dx = \Big[\ f(x)g(x)\ \Big]_a^b - \int_a^b f'(x)g(x)dx$$

[다] 수열 $\{a_n\}$, $\{b_n\}$이 수렴하고 $\lim_{n\to\infty} a_n = \lim_{n\to\infty} b_n = \alpha$일 때, 수열 $\{c_n\}$이 모든 자연수 n에 대하여 $a_n \le c_n \le b_n$을 만족하면 $\lim_{n\to\infty} c_n = \alpha$이다.

[라] 함수 $f(x)$가 닫힌구간 $[a, b]$에서 연속이면 다음 등식이 성립한다.

$$\lim_{n\to\infty}\sum_{k=1}^{n} f(x_k)\Delta x = \int_a^b f(x)dx \quad (\text{단, } \Delta x = \frac{b-a}{n},\ x_k = a + k\Delta x)$$

제시문 [가]-[라]를 참고하여 다음 물음에 답하시오.

[1-1] **함수** $f(x)=\sqrt{1+x}$**에 제시문 [가]를 적용하여** $-1<x<0$**일 때 부등식** $\sqrt{1+x}<1+\frac{x}{2}$ **이 성립함을 보이시오.**

[1-2] **닫힌구간** $[a, b]$**에서 연속이고 열린구간** (a, b)**에서 미분가능한 함수** $f(x)$**가 모든** $x\in(a, b)$**에 대하여** $f(x)>0$**을 만족할 때,** $\frac{1}{a-c}+\frac{1}{b-c}=\frac{f'(c)}{f(x)}$**인** c**가 열린구간** (a, b)**에 적어도 하나 존재함을 보이시오.**

[1-3] **적당한 다항함수** $g(x)$**에 대하여** $f(x)=g(x)(\sin^2 x+2\sin x)$**로 표현되며** $\int_0^{2\pi} f(x)dx=-3$**을 만족하는 임의의 함수** $f(x)$**에 대하여 정적분** $\int_0^{2\pi} x(2\pi-x)f''(x)\,dx$**의 값을 구하시오.**

[1-4] **수열** $\{a_n\}$**이 모든 자연수** n**에 대하여** $a_n>0$**이고** $\lim_{n\to\infty} a_n=0$**일 때 극한값** $\lim_{n\to\infty}\frac{1}{n}\sum_{k=1}^{n}\sqrt{\frac{k}{n}+a_n}$ **을 구하시오.**

수시 논술전형 답안지

❶ 본 답안지는 연습용입니다. 실제 시험 답안지와는 다릅니다.

서강대학교
SOGANG UNIVERSITY

모 집 단 위

수 험 번 호									
N	A	A							
			⓪	⓪	⓪	⓪	⓪	⓪	⓪
			①	①	①	①	①	①	①
			②	②	②	②	②	②	②
			③	③	③	③	③	③	③
			④	④	④	④	④	④	④
			⑤	⑤	⑤	⑤	⑤	⑤	⑤
			⑥	⑥	⑥	⑥	⑥	⑥	⑥
			⑦	⑦	⑦	⑦	⑦	⑦	⑦
			⑧	⑧	⑧	⑧	⑧	⑧	⑧
●	●	●	⑨	⑨	⑨	⑨	⑨	⑨	⑨

생년월일 (예:030418)					
⓪	⓪	⓪	⓪	⓪	⓪
①	①	①	①	①	①
②	②	②	②	②	②
③	③	③	③	③	③
④	④	④	④	④	④
⑤	⑤	⑤	⑤	⑤	⑤
⑥	⑥	⑥	⑥	⑥	⑥
⑦	⑦	⑦	⑦	⑦	⑦
⑧	⑧	⑧	⑧	⑧	⑧
⑨	⑨	⑨	⑨	⑨	⑨

답 안 지
자 연

성 명

응 시 계 열	
인문/인문·자연계열	○
자연	○

① 인적사항 (모집단위, 성명, 수험번호, 생년월일)은 반드시 검은색 필기구(연필 제외)로 정확히 기재하기 바라며, 수정이 불가능합니다.
② 답안 작성은 검은색 필기구(연필 포함)를 사용하기 바랍니다(수정테이프 및 지우개 사용가능).
※ 검은색 이외의 필기구 절대 사용 불가
③ 성명에 반드시 감독관의 날인을 받아야 합니다.
④ 반드시 답안 영역 안에 작성하시기 바랍니다.

문제 1번

이 줄 밑에는 답안 작성을 하지 말 것

13. 2021학년도 서강대 논술 기출 1차

[문제 1] 다음 제시문을 읽고 물음에 답하시오.

[가] 함수 $f(x)$가 어떤 구간에 속하는 임의의 두 실수 x_1, x_2에 대하여

① $x_1 < x_2$일 때 $f(x_1) < f(x_2)$이면 함수 $f(x)$는 그 구간에서 증가한다고 한다.

② $x_1 < x_2$일 때 $f(x_1) > f(x_2)$이면 함수 $f(x)$는 그 구간에서 감소한다고 한다.

[나] 함수 $f(x)$가 닫힌구간 $[a, b]$에서 연속이고 열린구간 (a, b)에서 미분가능할 때,

① 열린구간 (a, b)의 모든 x에 대하여 $f'(x) > 0$이면 함수 $f(x)$가 닫힌구간 $[a, b]$에서 증가한다.

② 열린구간 (a, b)의 모든 x에 대하여 $f'(x) < 0$이면 함수 $f(x)$가 닫힌구간 $[a, b]$에서 감소한다.

[다] 함수 $f(x)$가 닫힌구간 $[a, b]$에서 연속이고 $f(a) \neq f(b)$이면 $f(a)$와 $f(b)$사이에 있는 임의의 실수 k에 대하여 $f(c) = k$인 c가 열린구간 (a, b)에 적어도 하나 존재한다.

함수 $f(x) = x - \sin x$에 대하여 제시문 [가], [나], [다]를 참고하여 다음 물음에 답하시오.

【1－1】 함수 $f(x)$가 닫힌구간 $[-\pi, \pi]$에서 증가함을 보이시오.

【1－2】 열린구간 $(-\pi, \pi)$의 각 실수 y에 대하여 $f(x) = y$인 열린구간 $(-\pi, \pi)$의 실수 x가 오직 하나씩 존재함을 보이시오.

문항 【1－2】에 의하여 열린구간 $(-\pi, \pi)$의 각 원소 y에 $f(x) = y$인 열린구간 $(-\pi, \pi)$의 원소 x를 대응시키는 함수 $g : (-\pi, \pi) \to (-\pi, \pi)$를 정의할 수 있다. 문항 【1－3】과 문항 【1－4】에 답하시오.

【1－3】 $-\pi < y < \pi$일 때, $g(-y) + g(y) = 0$임을 보이시오.

【1－4】 $-\pi < y < \pi$일 때, $|g(y)|^3 \geq 6|y|$임을 보이시오.

[문제 2] 다음 제시문을 읽고 물음에 답하시오.

[가] 서로 다른 n개에서 순서를 생각하지 않고 서로 다른 $r(1 \le r \le n)$개를 택하는 것을 n개에서 r개를 택하는 조합이라 하고, 이 조합의 수를 ${}_n\mathrm{C}_r$로 나타낸다. 각각의 조합에 대하여 r개를 일렬로 나열하는 순열의 수는 $r!$이므로, ${}_n\mathrm{C}_r \times r!$은 서로 다른 n개에서 r개를 택하는 순열의 수와 같고 이를 이용하면

$$ {}_n\mathrm{C}_r = \frac{n!}{r!(n-r)!} $$

을 얻을 수 있다. 이때 위의 등식이 $r=0$일 때도 성립하도록 ${}_n\mathrm{C}_0 = 1$로 정한다.

[나] 서로 다른 n개에서 중복을 허용하여 r개를 택하는 것을 중복조합이라 하고, 이 중복조합의 수를 ${}_n\mathrm{H}_r$로 나타낸다. 서로 다른 2개의 숫자 1, 2에서 중복을 허용하여 3개를 택하는 경우는 111, 112, 122, 222이므로 ${}_2\mathrm{H}_3 = 4$이다. 이 경우의 수를 조합의 수로 나타내기 위하여 각 경우의 첫 번째, 두 번째, 세 번째 수가 중복되지 않도록 연속인 세 수 0, 1, 2를 각각 더하면 123, 124, 134, 234이다. 이것은 서로 다른 4개의 숫자 1, 2, 3, 4에서 중복을 허용하지 않고 3개를 택하는 모든 조합이므로 ${}_2\mathrm{H}_3 = {}_4\mathrm{C}_3 = {}_{2+3-1}\mathrm{C}_3$임을 알 수 있다. 일반적으로 ${}_n\mathrm{H}_r$는 서로 다른 $(n+r-1)$개에서 r개를 택하는 조합의 수 ${}_{n+r-1}\mathrm{C}_r$와 같다.

[다] 서로 다른 n개에서 r개를 택하는 중복조합의 수 ${}_n\mathrm{H}_r$는 방정식

$$ x_1 + x_2 + \cdots + x_n = r $$

의 음이 아닌 정수해의 개수와 같다.

제시문 [가], [나], [다]를 참고하여 다음 물음에 답하시오.

【2−1】 m이 자연수일 때, 방정식 $2x+y+z+w=2m$의 음이 아닌 정수해의 개수를 구하시오.

$n \ge 5$인 자연수 n에 대하여 1부터 n까지의 자연수에서 서로 다른 세 수를 택하려고 한다. 문항 【2−2】, 【2−3】, 【2−4】에 답하시오.

【2−2】 k가 $1 \le k \le n-4$인 자연수라고 하자. 연속인 두 수가 포함되지 않고 가장 작은 수가 k가 되도록 서로 다른 세 수를 택하는 방법의 수를 구하시오. (단, 연속인 두 수란 a, $a+1$꼴의 두 정수 를 말한다.)

【2−3】 연속인 두 수가 포함되지 않도록 서로 다른 세 수를 택하는 방법의 수를 구하시오.

【2−4】 n이 $n \ge 5$인 짝수라고 하자. 연속인 두 수가 포함되지 않도록 서로 다른 세 수를 택했다고 할 때, 이 중에서 가장 작은 수가 짝수일 확률을 구하시오.

수시 논술전형 답안지

❶ 본 답안지는 연습용입니다. 실제 시험 답안지와는 다릅니다.

서강대학교 SOGANG UNIVERSITY

모집단위

답안지	성명	응시계열	
자연		인문/인문·자연계열	○
		자연	○

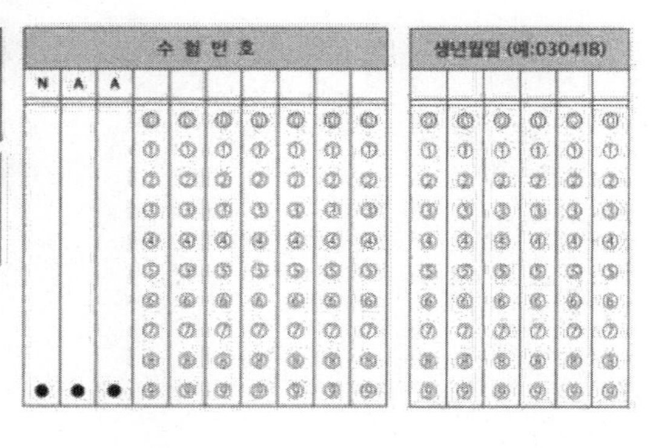

① 인적사항 (모집단위, 성명, 수험번호, 생년월일)은 반드시 검은색 필기구(연필 제외)로 정확히 기재하기 바라며, 수정이 불가능합니다.
② 답안 작성은 검은색 필기구(연필 포함)를 사용하기 바랍니다(수정테이프 및 지우개 사용가능).
※ 검은색 이외의 필기구 절대 사용 불가
③ 성명에 반드시 감독관의 날인을 받아야 합니다.
④ 반드시 답안 영역 안에 작성하시기 바랍니다.

문제 1번

이 줄 밑에는 답안 작성을 하지 말 것

수시 논술전형답안지

이 줄 위에는 답안 작성을 하지 말 것

문제 2번

이 줄 밑에는 답안 작성을 하지 말 것

14. 2021학년도 서강대 논술 기출 2차

[문제 1] 다음 제시문을 읽고 물음에 답하시오.

어느 도시에 신종 바이러스가 확산하여 이 도시에 거주하는 사람의 $100r\%$(r는 $0 < r < 1$인 상수)가 감염되었다. 방역당국은 바이러스 감염 여부를 검사하는 기술을 확보하였으나 이 검사 기술에는 다음 두 종류의 오류가 있을 수 있다.

① 감염된 사람을 검사했을 때 음성 반응이 나타날 수 있고, 이 확률은 p이다. (단, $0 < p < 1$)
② 감염되지 않은 사람을 검사했을 때 양성 반응이 나타날 수 있고, 이 확률은 q이다. (단, $0 < q < 1$)

바이러스 감염 여부를 한 번 검사하는 데 드는 비용을 1이라 하자. 검사 비용 외에 검사의 오류로 인해 추가 비용이 발생할 수 있다. 감염된 사람의 검사에서 음성 반응이 나타나는 경우, 이 사람은 적절한 치료를 받지 못할 뿐만 아니라 타인을 감염시킬 수 있기 때문에 추가 비용 α가 발생한다. 감염되지 않은 사람의 검사에서 양성 반응이 나타나는 경우, 경제 활동의 제약 등으로 인해 추가 비용 β가 발생한다. 검사의 오류가 없다면 추가 비용은 발생하지 않는다. (단, α, β는 양의 상수)

이 도시에 거주하는 사람을 임의로 한 명 선택하여 바이러스 감염 여부를 한 번 검사한다. 제시문을 참고하여 다음 물음에 답하시오.

【1－1】양성 반응이 나타날 확률을 구하시오.

【1－2】음성 반응이 나타났을 때, 실제로 감염되었을 확률을 구하시오.

【1－3】 총 비용을 확률변수 X라고 할 때, X의 기댓값 $E(X)$를 구하시오.

【1－4】 M은 3보다 큰 상수이고 $r\alpha = 4(1-r)\beta$라고 가정하자. $\frac{1}{p}+\frac{1}{q}=M$을 만족하는 p와 q에 대하여 기댓값 $E(X)$가 최소가 되도록 하는 p와 q의 값을 구하시오.

[문제 2] 다음 제시문을 읽고 물음에 답하시오.

[가] 함수 $f(x)$가 어떤 구간에 속하는 임의의 두 실수 x_1, x_2에 대하여
① $x_1 < x_2$일 때 $f(x_1) < f(x_2)$이면 함수 $f(x)$는 그 구간에서 증가한다고 한다.
② $x_1 < x_2$일 때 $f(x_1) > f(x_2)$이면 함수 $f(x)$는 그 구간에서 감소한다고 한다.

[나] 함수 $f(x)$가 닫힌구간 $[a,\ b]$에서 연속이고 열린구간 $(a,\ b)$에서 미분가능할 때,
① 열린구간 $(a,\ b)$의 모든 x에 대하여 $f'(x) > 0$이면 함수 $f(x)$가 닫힌구간 $[a,\ b]$에서 증가한다.
② 열린구간 $(a,\ b)$의 모든 x에 대하여 $f'(x) < 0$이면 함수 $f(x)$가 닫힌구간 $[a,\ b]$에서 감소한다.

[다] 함수 $f(x)$가 두 실수 a, b를 포함하는 구간에서 연속일 때, $f(x)$의 한 부정적분을 $F(x)$라고 하면

$$\int_a^b f(x)dx = [F(x)]_a^b = F(b) - F(a)$$

[라] 함수 $f(x)$가 세 실수 a, b, c를 포함하는 구간에서 연속일 때,

$$\int_a^b f(x)dx = \int_a^c f(x)dx + \int_c^b f(x)dx$$

[마] 수열 $\{a_n\}$, $\{b_n\}$이 수렴하고 $\lim_{n \to \infty} a_n = \lim_{n \to \infty} b_n = \alpha$일 때, 수열 $\{c_n\}$이 모든 자연수 n에 대하여 $a_n \le c_n \le b_n$을 만족하면 $\lim_{n \to \infty} c_n = \alpha$이다.

제시문 [가], [나], [다], [라]를 이용하여 문항 【2－1】과 문항【2－2】에 답하시오.

【2－1】 **함수 $f(x)$, $g(x)$가 닫힌구간 $[a,\ b]$에서 연속일 때, 열린구간 $(a,\ b)$의 모든 x에 대하여 $f(x) < g(x)$이면 다음 부등식이 성립함을 보이시오.**

$$\int_a^b f(x)dx < \int_a^b g(x)dx$$

【2－2】 **함수 $f(x)$가 구간 $[1,\ \infty)$에서 연속이고 증가할 때, 모든 자연수 n에 대하여 다음 부등식이 성립함을 보이시오.**

$$f(1) + \int_1^n f(x)dx \le \sum_{k=1}^{n} f(k) < \int_1^{n+1} f(x)dx$$

문항 【2－2】의 결과와 제시문 [마]를 이용하여 문항【2－3】과 문항 【2－4】에 답하시오.

【2－3】 **p가 자연수일 때, 다음 극한값을 구하시오.**

$$\lim_{n \to \infty} \frac{1}{n^{p+1}} \sum_{k=1}^{n} k^p$$

【2－4】다음 극한값을 구하시오.

$$\lim_{n \to \infty} \frac{1}{\sqrt{n}} \sum_{k=1}^{n} \frac{1}{\sqrt{k}}$$

수시 논술전형 답안지

❶ 본 답안지는 연습용입니다. 실제 시험 답안지와는 다릅니다.

서강대학교
SOGANG UNIVERSITY

모집단위

답안지
자 연

성 명

응시계열	
인문/인문·자연계열	○
자연	○

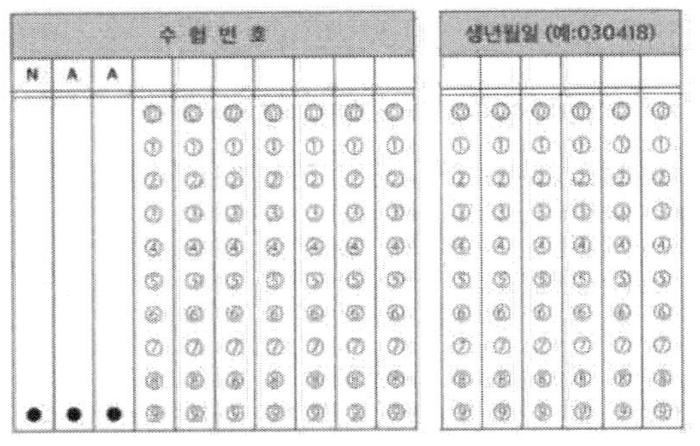

① 인적사항 (모집단위, 성명, 수험번호, 생년월일)은 반드시 검은색 필기구(연필 제외)로 정확히 기재하기 바라며, 수정이 불가능합니다.
② 답안 작성은 검은색 필기구(연필 포함)를 사용하기 바랍니다(수정테이프 및 지우개 사용가능).
※ 검은색 이외의 필기구 절대 사용 불가
③ 성명에 반드시 감독관의 날인을 받아야 합니다.
④ 반드시 답안 영역 안에 작성하시기 바랍니다.

문제 1번

이 줄 밑에는 답안 작성을 하지 말 것

이 줄 위에는 답안 작성을 하지 말 것

문제 2번

이 줄 밑에는 답안 작성을 하지 말 것

15. 2021학년도 서강대 모의 논술 1차

[문 제] 다음 제시문을 읽고 물음에 답하시오.

[가] 실수 a, b와 자연수 n에 대하여 다음 등식이 성립한다.

$$(a+b)^n = \sum_{k=0}^{n} {}_n\mathrm{C}_k a^{n-k} b^k$$

[나] 모든 자연수 n에 대하여 $0 \le a_n \le b_n$이고 $\lim_{n \to \infty} b_n = 0$이면 $\lim_{n \to \infty} a_n = 0$이다.

[다] $r \neq 1$일 때 실수 a와 자연수 n에 대하여

$$\sum_{k=1}^{n} ar^{k-1} = \frac{a(1-r^n)}{1-r}$$

이다. 또한, $|r| < 1$이면 $\lim_{n \to \infty} r^n = 0$이므로

$$\sum_{n=1}^{\infty} ar^{n-1} = \frac{a}{1-r}$$

이다.

[라] 닫힌구간 $[a, b]$에서 연속인 두 함수 $f(x)$, $g(x)$에 대하여 다음 등식이 성립한다.

$$\int_a^b kf(x)dx = k\int_a^b f(x)dx \text{ (단, } k\text{는상수)}$$

$$\int_a^b \{f(x)-g(x)\}dx = \int_a^b f(x)dx - \int_a^b g(x)dx$$

$$\int_a^b \{f(x)+g(x)\}dx = \int_a^b f(x)dx + \int_a^b g(x)dx$$

[마] 함수 $f(x)$, $g(x)$가 닫힌구간 $[a, b]$에서 연속이고 모든 $x \in [a, b]$에 대하여 $f(x) \le g(x)$라고 하자. 이 때 $h(x) = g(x) - f(x)$라고 하면 모든 $x \in [a, b]$에 대하여 $h(x) \ge 0$이므로 정적분 $\int_a^b h(x)dx$은 곡선 $y = h(x)$와 x축 및 두 직선 $x = a$, $x = b$로 둘러싸인 도형의 넓이를 나타낸다. 제시문 [라]에 의하여

$$\int_a^b g(x)dx - \int_a^b f(x)dx = \int_a^b h(x)dx \ge 0$$

이고 따라서

$$\int_a^b f(x)dx \le \int_a^b g(x)dx$$

이다.

1. a가 양의 실수일 때 모든 자연수 n에 대하여 다음 부등식이 성립함을 보이시오.

$$(1+a)^{n+1} \geq \frac{n^2}{2}a^2$$

또한, 이 부등식을 이용하여 $\lim_{n\to\infty}\frac{n}{2^n}=0$을 보이시오.

2. $r\neq 1$일 때 모든 자연수 n에 대하여 다음 등식이 성립함을 보이시오.

$$\sum_{k=1}^{n} kr^{k-1} = \frac{1-(n+1)r^n + nr^{n+1}}{(1-r)^2}$$

또한, 이 등식을 이용하여 급수 $\sum_{n=1}^{\infty}\frac{n}{2^n}$의 합을 구하시오.

3. $0<r<1$일 때 모든 자연수 n에 대하여 다음 등식이 성립함을 보이시오.

$$\sum_{k=1}^{n+1}\frac{r^k}{k} = -\ln(1-r) - \int_0^r \frac{t^{n+1}}{1-t}dt$$

4. 문제 3의 결과를 이용하여 급수 $\sum_{n=1}^{\infty}\frac{1}{n2^n}$의 합을 구하시오.

수시 논술전형 답안지

❶ 본 답안지는 연습용입니다. 실제 시험 답안지와는 다릅니다.

서강대학교 SOGANG UNIVERSITY

모집단위

답안지	성명	응시계열	
자연		인문/인문·자연계열	○
		자연	○

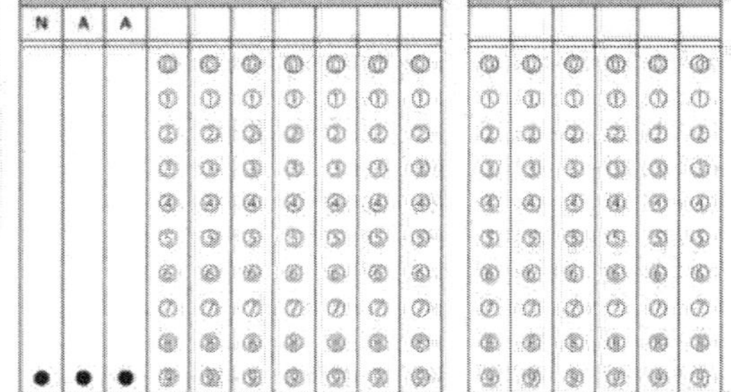

① 인적사항 (모집단위, 성명, 수험번호, 생년월일)은 반드시 검은색 필기구(연필 제외)로 정확히 기재하기 바라며, 수정이 불가능합니다.
② 답안 작성은 검은색 필기구(연필 포함)를 사용하기 바랍니다(수정테이프 및 지우개 사용가능).
※ 검은색 이외의 필기구 절대 사용 불가
③ 성명에 반드시 감독관의 날인을 받아야 합니다.
④ 반드시 답안 영역 안에 작성하시기 바랍니다.

문제 1번

이 줄 밑에는 답안 작성을 하지 말 것

수시 논술전형 답안지

16. 2021학년도 서강대 모의 논술 2차

[문 제] 다음 제시문을 읽고 물음에 답하시오.

[가] 닫힌구간 $[a, b]$의 임의의 점 x에서 x축에 수직인 평면으로 자른 단면의 넓이가 $S(x)$인 입체도형의 부피 V는 다음과 같다.

$$V=\int_a^b S(x)dx$$

[나] 미분가능한 두 함수 $y=f(u)$, $u=g(x)$에 대하여 합성함수 $y=f(g(x))$의 도함수는 다음과 같이 나타낼 수 있다.

$$\frac{dy}{dx}=\frac{dy}{du}\frac{du}{dx}$$

[다] 함수 $f(t)$가 실수 a를 포함하는 구간에서 연속이면 이 구간에 속하는 임의의 x에 대하여 다음이 성립한다.

$$\frac{d}{dx}\int_a^x f(t)dt=f(x)$$

1. 높이가 $H(H>2)$인 항아리에 물이 가득 채워져 있다. 이 항아리 바닥에 갑자기 작은 구멍이 생겨 물이 새기 시작한다. 항아리 바닥으로부터 수면까지의 높이가 $x(x>0)$일 때, 수면의 넓이는 $f(x)$이고, 구멍을 통해 빠져나가는 물의 부피는 시간 당 $2x$이다. 함수 $f(x)$는 구간 $[0, H]$에서 연속이고 모든 $h\in(0, H]$에 대하여 다음 식을 만족한다.

$$\int_0^h f(x)dx=\lim_{n\to\infty}\left\{\left(\frac{h}{n}\right)^3 e^{-\frac{h}{n}}+4\left(\frac{h}{n}\right)^3 e^{-\frac{2h}{n}}+9\left(\frac{h}{n}\right)^3 e^{-\frac{3h}{n}}+\cdots+n^2\left(\frac{h}{n}\right)^3 e^{-h}\right\}$$

함수 $f(x)$를 구하시오.

2. 수면의 높이가 x일 때, 항아리에 채워진 물의 부피를 나타내는 함수 $V(x)$를 구하시오.

3. 수면의 높이가 x일 때, 수면의 하강 속력을 구하시오.

4. 수면의 하강 속력이 가장 작을 때, 수면의 높이와 하강 속력을 구하시오.

수시 논술전형 답안지

❶ 본 답안지는 연습용입니다. 실제 시험 답안지와는 다릅니다.

서강대학교
SOGANG UNIVERSITY

모 집 단 위

답 안 지	성 명	응시계열	
자 연		인문/인문·자연계열	○
		자연	○

수 험 번 호									
N	A	A							
			⓪	⓪	⓪	⓪	⓪	⓪	⓪
			①	①	①	①	①	①	①
			②	②	②	②	②	②	②
			③	③	③	③	③	③	③
			④	④	④	④	④	④	④
			⑤	⑤	⑤	⑤	⑤	⑤	⑤
			⑥	⑥	⑥	⑥	⑥	⑥	⑥
			⑦	⑦	⑦	⑦	⑦	⑦	⑦
			⑧	⑧	⑧	⑧	⑧	⑧	⑧
●	●	●	⑨	⑨	⑨	⑨	⑨	⑨	⑨

생년월일 (예:030418)					
⓪	⓪	⓪	⓪	⓪	⓪
①	①	①	①	①	①
②	②	②	②	②	②
③	③	③	③	③	③
④	④	④	④	④	④
⑤	⑤	⑤	⑤	⑤	⑤
⑥	⑥	⑥	⑥	⑥	⑥
⑦	⑦	⑦	⑦	⑦	⑦
⑧	⑧	⑧	⑧	⑧	⑧
⑨	⑨	⑨	⑨	⑨	⑨

① 인적사항 (모집단위, 성명, 수험번호, 생년월일)은 반드시 검은색 필기구(연필 제외)로 정확히 기재하기 바라며, 수정이 불가능합니다.
② 답안 작성은 검은색 필기구(연필 포함)를 사용하기 바랍니다(수정테이프 및 지우개 사용가능).
※ 검은색 이외의 필기구 절대 사용 불가
③ 성명에 반드시 감독관의 날인을 받아야 합니다.
④ 반드시 답안 영역 안에 작성하시기 바랍니다.

문제 1번

이 줄 밑에는 답안 작성을 하지 말 것

17. 2020학년도 서강대 논술 기출 1차

[문제 1] 다음 제시문을 읽고 물음에 답하시오.

[가] 좌표평면 위에서 움직이는 점 P의 좌표 $(x,\ y)$가 변수 t의 함수 $\begin{cases} x = f(t) \\ y = g(t) \end{cases}$로 나타내어 질 때, 변수 t를 매개변수라 한다. 예를 들어, 점 P가 점 $(1,\ 0)$를 출발하여 원 $x^2 + y^2 = 1$위를 시계 반대 방향으로 매분 1만큼의 거리를 움직일 때, 출발 후 t분에서 점 P의 위치를 매개변수를 이용하여 $x = \cos t$, $y = \sin t$로 나타낼 수 있다.

[나] 반지름의 길이와 호의 길이가 같은 부채꼴의 중심각의 크기를 1라디안이라 하고, 라디안을 단위로 각의 크기를 나타내는 방법을 호도법이라고 한다.
부채꼴의 호의 길이는 중심각의 크기에 비례하므로 반지름의 길이가 r이고 중심각의 크기가 θ라 디안인 부채꼴의 호의 길이 l은 $l = r\theta$이다.

[다] 좌표평면 위를 움직이는 점 P의 시각 t에서의 좌표 $(x,\ y)$가 $x = f(t)$, $y = g(t)$일 때, 점 P의 시 각 t에서의 속도, 속력, 가속도, 가속도의 크기는 다음과 같다.

① 속도 $\vec{v} = (v_x,\ v_y) = \left(\dfrac{dx}{dt},\ \dfrac{dy}{dt}\right) = (f'(t),\ g'(t))$

② 속력 $|\vec{v}| = \sqrt{\left(\dfrac{dx}{dt}\right)^2 + \left(\dfrac{dy}{dt}\right)^2} = \sqrt{\{f'(t)\}^2 + \{g'(t)\}^2}$

③ 가속도 $\vec{a} = (a_x,\ a_y) = \left(\dfrac{d^2x}{dt^2},\ \dfrac{d^2y}{dt^2}\right) = (f''(t),\ g''(t))$

④ 가속도의크기 $|\vec{a}| = \sqrt{\left(\dfrac{d^2x}{dt^2}\right)^2 + \left(\dfrac{d^2y}{dt^2}\right)^2} = \sqrt{\{f''(t)\}^2 + \{g''(t)\}^2}$

[문제] 아래 글을 읽고 【1－1】, 【1－2】, 【1－3】의 물음에 답하시오.

서강이는 원점 O를 중심으로 반지름의 길이가 1인 원의 둘레를 점 $(1,\ 0)$에서부터 출발하여 시계 반대 방향으로 일정한 속력으로 움직여 매 π분마다 한 바퀴씩 돌고 있다. 동시에 서준이는 점 $(-1,\ 0)$을 중심으로 반지름의 길이가 $\sqrt{3}$인 원둘레를 점 $(\sqrt{3}-1,\ 0)$에서부터 출발하여 시계 반대 방향으로 일정한 속력으로 움직여 매 2π분마다 한 바퀴씩 돌고 있다.

【1－1】 서강이와 서준이가 동시에 출발 후, t분이 지날 때, 각자의 위치를 매개변수 방정식으로 나타내시오.

【1－2】 서강이와 서준이가 첫 번째 만날 때의 속도와 가속도를 구하고, 이들 크기의 합을 각각 구하시오.

【1－3】 출발 t분 후 서준이의 가속도가 $(a(t),\ b(t))$이고, 함수 $f(t)$가 $t > 0$에서 $|f(t)| \le 3$이다. 정적분 $\displaystyle\int_{\frac{\pi}{3}}^{\frac{2\pi}{3}} a(t)b(t)f(t)dt$이 최댓값을 갖도록 하는 함수 $f(t)$를 제시하고, 그 때 정적분의 값을 구하시오.

【1－4】 점 $(-1,\ 0)$을 중심으로 하고 반지름의 길이가 $\sqrt{3}$인 원을 밑면으로 하고, xy평면에 수직인 원기둥 모양의 벽이 있다. 서준이가 이 벽의 둘레를 점 $(\sqrt{3}-1,\ 0)$에서 출발하여 시계 반대 방향으로 일정한 속력으로 매 2π분마다 한 바퀴씩 돌고 있다. 반면, 서강이는 점 $(1,\ 0)$에서 정지한 상태로 서준이가 실제 움직이는 거리를 측정하기로 하였다. 출발하여 $\frac{49\pi}{12}$분이 경과할 때까지 서강이가 관측할 수 있는 서준이의 총 움직인 거리를 구하시오. (단, 원기둥의 높이는 무한히 높고 서준이는 매우 작다고 가정한다.)

[문제 2] 다음 제시문을 읽고 물음에 답하시오.

[가] 삼각함수 $y=\sin x$와 $y=\cos x$의 그래프는 모두 2π간격으로 같은 모양이 반복된다.
임의의 실수 x, 정수 n에 대하여

$$\sin(x+2n\pi)=\sin x$$
$$\cos(x+2n\pi)=\cos x$$

이다.
또한 $(\sin x)'=\cos x$, $(\cos x)'=-\sin x$이고 $f(x)$가 미분가능 함수일 때 합성함수의 미분법에 의하여

$$\frac{d}{dx}\sin f(x)=\{\cos f(x)\}f'(x)$$
$$\frac{d}{dx}\cos f(x)=\{-\sin f(x)\}f'(x)$$

이다.

[나] 함수 $f(x)$가 어떤 열린 구간에서 미분가능할 때, 그 구간의 모든 x에 대하여
(i) $f'(x)>0$이면 $f(x)$는 그 구간에서 증가한다.
(ii) $f'(x)<0$이면 $f(x)$는 그 구간에서 감소한다.

함수 $f(x)$가 어떤 열린 구간에서 미분가능할 때,
(i) $f(x)$가 그 구간에서 증가하면 그 구간의 모든 x에 대하여 $f'(x)\geq 0$이다.
(ii) $f(x)$가 그 구간에서 감소하면 그 구간의 모든 x에 대하여 $f'(x)\leq 0$이다.

[다] 함수 $f(x)$가 구간 $[a,\ b]$에서 연속이고, 함수 $F(x)$가 $f(x)$의 한 부정적분일 때,

$$\int_a^b f(x)dx=[F(x)]_a^b=F(b)-F(a)\text{이다.}$$

이다.

[라] 미분가능한 함수 $t=g(x)$의 도함수 $g'(x)$가 구간 $[a,\ b]$에서 연속이고, $g(a)=\alpha$, $g(b)=\beta$에 대하여 함수 $f(t)$가 α, β를 양 끝으로 하는 닫힌 구간에서 연속일 때,

$$\int_a^b f(g(x))g'(x)dx=\int_\alpha^\beta f(t)dt$$

이다.

[마] 두 함수 $f(x)$, $g(x)$가 닫힌 구간 $[a,\ b]$에서 미분가능하고, $f'(x)$, $g'(x)$가 연속일 때,

$$\int_a^b f(x)g'(x)dx=[f(x)g(x)]_a^b-\int_a^b f'(x)g(x)dx$$

이다.

【2-1】 함수 $f(x)=\begin{cases}2x+3x^2\sin\dfrac{1}{x} & (x\neq 0)\\ 0 & (x=0)\end{cases}$ **에서** $f'(0)$**의 값을 구하시오.**

【2－2】 $\lim_{n \to \infty} a_n = 0$이고 모든 자연수 n에 대하여 $\cos\frac{1}{a_n} = 1$을 만족하는 수열 $\{a_n\}$의 예를 찾으시오.

【2－3】 함수 $f(x) = \begin{cases} 2x + 3x^2 \sin\frac{1}{x} & (x \neq 0) \\ 0 & (x = 0) \end{cases}$ 는 $x = 0$을 포함하는 어떤 열린 구간에서 증가하는지 서술하시오.

【2－4】 $\int_0^1 2x^4 \sqrt{1 - x^4}\, dx = \frac{1}{3} \int_0^1 (1 - x^4)^{\frac{3}{2}} dx$임을 보이시오.

【2－5】 $p'(0) = 5$를 만족하는 다항함수 $p(x)$에 대하여 $\int_0^{\pi} \{p(x) + p''(x)\} \cos x dx = 3$이 성립할 때 $p'(\pi)$가 가질 수 있는 모든 값을 구하시오.

수시 논술전형 답안지

❶ 본 답안지는 연습용입니다. 실제 시험 답안지와는 다릅니다.

서강대학교 SOGANG UNIVERSITY

모집단위

답안지	성명	응시계열	
자연		인문/인문·자연계열	○
		자연	○

수험번호									
N	A	A							
			⓪	⓪	⓪	⓪	⓪	⓪	⓪
			①	①	①	①	①	①	①
			②	②	②	②	②	②	②
			③	③	③	③	③	③	③
			④	④	④	④	④	④	④
			⑤	⑤	⑤	⑤	⑤	⑤	⑤
			⑥	⑥	⑥	⑥	⑥	⑥	⑥
			⑦	⑦	⑦	⑦	⑦	⑦	⑦
			⑧	⑧	⑧	⑧	⑧	⑧	⑧
●	●	●	⑨	⑨	⑨	⑨	⑨	⑨	⑨

생년월일 (예:030418)					
⓪	⓪	⓪	⓪	⓪	⓪
①	①	①	①	①	①
②	②	②	②	②	②
③	③	③	③	③	③
④	④	④	④	④	④
⑤	⑤	⑤	⑤	⑤	⑤
⑥	⑥	⑥	⑥	⑥	⑥
⑦	⑦	⑦	⑦	⑦	⑦
⑧	⑧	⑧	⑧	⑧	⑧
⑨	⑨	⑨	⑨	⑨	⑨

① 인적사항 (모집단위, 성명, 수험번호, 생년월일)은 반드시 검은색 필기구(연필 제외)로 정확히 기재하기 바라며, 수정이 불가능합니다.
② 답안 작성은 검은색 필기구(연필 포함)를 사용하기 바랍니다(수정테이프 및 지우개 사용가능).
※ 검은색 이외의 필기구 절대 사용 불가
③ 성명에 반드시 감독관의 날인을 받아야 합니다.
④ 반드시 답안 영역 안에 작성하시기 바랍니다.

문제 1번

이 줄 밑에는 답안 작성을 하지 말 것

이 줄 위에는 답안 작성을 하지 말 것

문제 2번

이 줄 밑에는 답안 작성을 하지 말 것

18. 2020학년도 서강대 논술 기출 2차

[문제 1] 다음 제시문을 읽고 물음에 답하시오.

[가] 함수 $y=f(x)$의 그래프와 그 역함수 $y=f^{-1}(x)$의 그래프는 직선 $y=x$에 대하여 대칭이다.

[나] 미분가능한 함수 $f(x)$의 역함수 $f^{-1}(x)$가 존재하고 미분가능하면 다음이 성립한다.

$$\left(f^{-1}\right)'(x)=\frac{1}{f'\left(f^{-1}(x)\right)} \quad (\text{단, } f'\left(f^{-1}(x)\right)\neq 0)$$

[다] 일반적으로 함수 $f(x)$가 실수 a에 대하여 다음을 모두 만족시킬 때, 함수 $f(x)$는 $x=a$에서 연속 이라고 한다.

① 함수 $f(x)$는 $x=a$에서 정의되어 있다.
② 극한값 $\lim_{x\to a}f(x)$가 존재한다.
③ $\lim_{x\to a}f(x)=f(a)$

구간 $[0,\ \infty)$**에서 정의된 함수**

$$f(x)=\begin{cases} clx & (0\leq x<1) \\ (m-1)x+2-m & (1\leq x<2) \\ x^3-6x^2+12x+m-8 & (x\geq 2)\end{cases}$$

에 대하여 제시문을 참고하여 다음 물음에 답하시오.

【1-1】 함수 $f(x)$**의 역함수** $f^{-1}(x)$**가 존재하기 위한 실수** m**의 범위를 구하시오.**

※ 【1-2, 1-3, 1-4】 문제 【1-1】의 결과를 이용하여 다음 물음에 답하시오.

【1-2】 함수 $f^{-1}(x)$**의** $x=9m$**에서의 미분계수** $\left(f^{-1}\right)'(9m)$**을** m**에 대한 식으로 나타내시오.**

【1-3】 정적분 $\int_0^{9m}f^{-1}(x)dx$**을** m**에 대한 식으로 나타내시오.**

【1-4】 함수 $g(x)=\lim_{\Delta x\to 0+}\frac{f^{-1}(x+\Delta x)-f^{-1}(x)}{\Delta x}$**로 정의한다.**

$1<c<m$**인 실수** c**에 대하여 함수** $h(x)=(x-a)g(x)$**가 닫힌 구간** $[0,\ c]$**에서 연속이 되도록 실수** a**의 값을 구하시오.**

[문제 2] 다음 제시문을 읽고 물음에 답하시오.

[가] 함수 $f(x)$에서 정의역에 속하는 모든 x에 대하여

$$f(x+L)=f(x)$$

를 만족하는 0이 아닌 상수 L이 존재할 때, 함수 f를 주기함수라 하고 L의 값 중에서 최소인 양수 를 함수 f의 주기라 한다. 예를 들어, 함수 $y=\sin x$는 주기가 2π인 주기함수이다.

[나] 수열 $\{a_n\}$의 첫째항부터 제 n항까지의 합

$$a_1+a_2+a_3+\cdots+a_n$$

을 합의 기호 $\sum$를 사용하여 다음과 같이 간단히 $\sum_{k=1}^{n} a_k$로 나타낸다. 즉,

$$a_1+a_2+a_3+\cdots+a_n=\sum_{k=1}^{n} a_k$$

여기서, $\sum_{k=1}^{n} a_k$는 수열의 일반항 a_k의 k에 1, 2, 3, $\cdots$, n을 차례로 대입하여 얻은 항 a_1, a_2, a_3, $\cdots$, a_n의 합을 뜻한다.

[다] 두 수열 $\{a_n\}$, $\{b_n\}$에 대하여 다음이 성립한다.

$$\sum_{k=1}^{n}(a_k+b_k)=\sum_{k=1}^{n}a_k+\sum_{k=1}^{n}b_k,\quad \sum_{k=1}^{n}(a_k-b_k)=\sum_{k=1}^{n}a_k-\sum_{k=1}^{n}b_k$$

$$\sum_{k=1}^{n}ca_k=c\sum_{k=1}^{n}a_k(\text{단, }c\text{는상수}),\quad \sum_{k=1}^{n}c=cn(\text{단, }c\text{는상수})$$

[라] 첫째항이 a, 공차가 d인 등차수열의 첫째항부터 제 n항까지의 합을 S_n이라 하면,

$$S_n=a+(a+d)+(a+2d)+\cdots+\{a+(n-1)d\}=\frac{n\{2a+(n-1)d\}}{2}$$

이다.

[문제] 구간 $(-\infty,\ \infty)$에서 정의된 함수 $f(x)$는 다음 성질을 만족시킨다.

$$f(x)=x\ (0\le x<1),\quad f(x+1)=f(x)$$

제시문을 참고하여 다음 물음에 답하시오.

【2-1】 열린 구간 $(0,\ 2)$에서 함수 $g(x)=\left\{f(2x)-\frac{1}{2}\right\}\left\{f(3x)-\frac{1}{2}\right\}$가 불연속이 되는 x의 값을 모두 구하시오.

【2-2】 $N>1$인 모든 자연수 N에 대하여 다음 급수

$$\sum_{n=1}^{N} f\left(n\left(1+\frac{1}{N}\right)\right)$$

을 N에 대한 식으로 나타내시오.

【2－3, 2－4】 다음은 $f(Nx)-\sum_{n=1}^{N}\left(f\left(x+\frac{n}{N}\right)-\frac{1}{2}\right)$의 계산과정 일부를 나타낸 것이다. 참고하여 문제 【2－3】, 【2－4】에 답하시오.

> 임의의 실수 x는 정수 m과 소수 $\alpha(0 \le \alpha < 1)$의 합, 즉 $x=m+\alpha$으로 표현이 가능하다. 그런데 $f(x)=\alpha$이므로
>
> $$\sum_{n=1}^{N}\left(f\left(m+\alpha+\frac{n}{N}\right)-\frac{1}{2}\right)=\sum_{n=1}^{N}\left(f\left(\alpha+\frac{n}{N}\right)-\frac{1}{2}\right)$$ (단, N은1보다큰자연수이다.)
>
> 이다. 이 때,
>
> $$\alpha+\frac{n_0-1}{N}<1,\quad \alpha+\frac{n_0}{N}\ge 1$$
>
> 을 동시에 만족하는 자연수 $n_0(1<n_0 \le N)$을 찾을 수 있다.

【2－3】 임의의 실수 x에 대하여 다음을 구하시오.

$$\sum_{n=1}^{n_0-1}\left(f\left(x+\frac{n}{N}\right)-\frac{1}{2}\right)$$

【2－4】임의의 실수 x에 대하여 다음을 구하시오.

$$f(Nx)-\sum_{n=1}^{N}\left(f\left(x+\frac{n}{N}\right)-\frac{1}{2}\right)$$

수시 논술전형 답안지

❶ 본 답안지는 연습용입니다. 실제 시험 답안지와는 다릅니다.

서강대학교 SOGANG UNIVERSITY

모 집 단 위

답 안 지	성 명	응 시 계 열	
자 연		인문/인문·자연계열	○
		자연	○

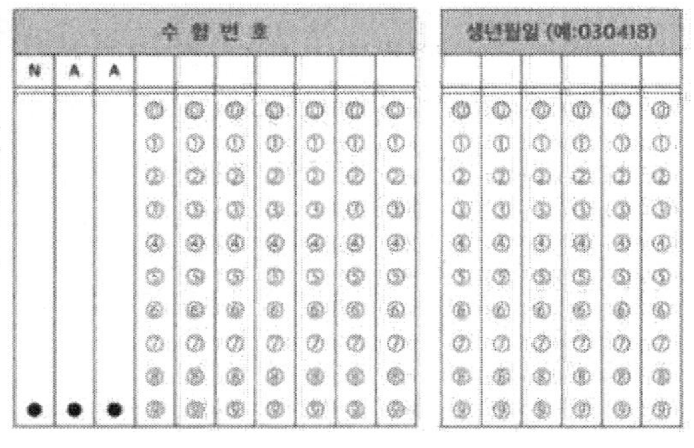

① 인적사항 (모집단위, 성명, 수험번호, 생년월일)은 반드시 검은색 필기구(연필 제외)로 정확히 기재하기 바라며, 수정이 불가능합니다.
② 답안 작성은 검은색 필기구(연필 포함)를 사용하기 바랍니다(수정테이프 및 지우개 사용가능).
※ 검은색 이외의 필기구 절대 사용 불가
③ 성명에 반드시 감독관의 날인을 받아야 합니다.
④ 반드시 답안 영역 안에 작성하시기 바랍니다.

문제 1번

이 줄 밑에는 답안 작성을 하지 말 것

이 줄 위에는 답안 작성을 하지 말 것

문제 2번

이 줄 밑에는 답안 작성을 하지 말 것

19. 2020학년도 서강대 모의 논술 1차

[문제 1] 다음 제시문을 읽고 물음에 답하시오.

[가] 좌표평면 위를 움직이는 점 P에 대하여 시각 t에서 점 P의 위치벡터의 성분이 $(x,\ y)$이고, $x,\ y$는 t를 매개변수로 하는 함수 $x=f(t),\ y=g(t)$로 나타내어질 때, 시각 t에 대한 미분을 이용하여 속력과 속도의 크기를 구할 수 있다.

[나] 미분 가능한 두 함수의 크기를 비교하기 위한 좋은 방법은 미분을 이용한 기울기를 계산하는 것이다. 예를 들어, $x>1$에서 $y=x^2$은 $y=x$보다 항상 크다. 1에서 두 함수는 같고 1보다 클 때 $y=x^2$의 도함수 $2x$가 $y=x$의 도함수 1보다 항상 크기 때문이다.

[다] 수열은 자연수 집합에서 정의된 함숫값, 즉 n에서 a_n으로 대응되는 함수로 이해할 수도 있다. 매 초마다 변하는 온도 등이 일 예가 될 수 있다. 더욱이 온도의 변화에 따른 냉방기의 가동 등은 함수의 합성으로 이해 될 수 있으므로 수열에 대한 함숫값의 극한을 해석할 수 있다.

[라] 자취의 방정식이란 특정한 조건을 만족하는 점의 집합을 말한다. 예를 들 어 공간에서 두 점으로부터 같은 거리에 있는 점들은 평면이 되고 한 점에서 동일한 거리의 점들은 구가 된다.

[1] $x^2+4y^2=1$위를 움직이는 점 $P(x,\ y)$가 있다. 삼각함수 $x=\cos t$와 $y=\sin t$를 이용하여 얻어지는 매개변수 방정식의 점 $(1,\ 0)$에서 속력과 가속도의 크기를 구하여라.

[2] 교점에서 두 접선의 기울기가 같으면 동일한 접선이 된다. 타원 $\frac{x^2}{a^2}+\frac{y^2}{b^2}=1(a>b)$과 $y=\cos x$의 두 곡선이 $0<x<a,\ 0<y<b$에서 동일한 접선을 가질 수 없음을 보여라. (단, $a^2+b^2<2ab^2$이다.)

[3] 동서를 직선으로 연결된 횡단 철도를 생각한다. 동서는 12 km떨어져 있고, 동부 승무원은 시간당 5km로, 서부 승무원은 시간당 $7km$로 각각 마주보는 방향으로 이동하면서 철도점검 일을 한다. 철도 관계자는 동부에서 객차로 시간당 $20km$로 출발하여 서부 승무원 또는 동부 승무원 사이를 오가며 운행 정보를 기록한다, 단, 동부 또는 서부 승무원과 마주칠 때마다 대기 시간 없이 객차 방향이 바뀐다고 가정하고, 양쪽 승무원과 객차는 동시에 출발한다. 객차가 처음 출발하여 서부 승무원을 만날 때까지 걸린 시간을 t_1, 다시 방향을 바꾸어 동부 승무원을 만날 때까지 걸린시간을 t_2라고 하면 연속되어 걸린 시간 t_n을 정의할 수 있다. 이 때, t_n을 구하고 누적 시간 $\sum_{n=1}^{\infty} t_n$을 계산하여라.

[4] 3차원 공간의 두 점 $A(1,\ 8,\ 3)$와 $B(4,\ 5,\ 0)$에 대하여, $\overline{PA}:\overline{PB}=2:1$인 점의 자취는 구가된다. 점 $Q(5,\ 8,\ 3)$에서 이 구에 접선들을 그을 때 발생하는 접점들의 자취와 겹치는 부분을 제외한 나머지 부피를 구하여라.

수시 논술전형　답안지

❶ 본 답안지는 연습용입니다. 실제 시험 답안지와는 다릅니다.

서강대학교
SOGANG UNIVERSITY

모 집 단 위

답 안 지	성　명	응 시 계 열	
자　연		인문/인문-자연계열	○
		자연	○

수 험 번 호									
N	A	A							

생년월일 (예:030418)					

① 인적사항 (모집단위, 성명, 수험번호, 생년월일)은 반드시 검은색 필기구(연필 제외)로 정확히 기재하기 바라며, 수정이 불가능합니다.
② 답안 작성은 검은색 필기구(연필 포함)를 사용하기 바랍니다(수정테이프 및 지우개 사용가능).
※ 검은색 이외의 필기구 절대 사용 불가
③ 성명에 반드시 감독관의 날인을 받아야 합니다.
④ 반드시 답안 영역 안에 작성하시기 바랍니다.

문제 1번

이 줄 밑에는 답안 작성을 하지 말 것

20. 2020학년도 서강대 모의 논술 2차

[문 제] 다음 제시문을 읽고 물음에 답하시오.

[가] 함수 $f(x)$에서 x의 값이 a에 한없이 가까워질 때, $f(x)$의 값이 한없이 커지면 함수 $f(x)$는 양의 무한대로 발산한다고 하고, 기호로 $\lim_{x \to a} f(x) = \infty$ 또는 $x \to a$일 때, $f(x) \to \infty$와 같이 나타낸다. 또 함수 $f(x)$에서 x의 값이 한없이 커질 때, $f(x)$의 값이 일 정한 값 α에 한없이 가까워지면 $f(x)$는 α에 수렴한다고 하고, 기호로 $\lim_{x \to \infty} f(x) = \alpha$ 또는 $x \to \infty$일 때, $f(x) \to \alpha$와 같이 나타낸다. 한편 함수 $f(x)$에서 $x \to \infty$일 때, $f(x)$의 값이 양의 무한대로 발산하는 것을 기호로 $\lim_{x \to \infty} f(x) = \infty$와 같이 나타낸다.

[나] 최대 최소의 정리에 의하면 함수 $f(x)$가 닫힌 구간 $[a, b]$에서 연속일 때, $f(x)$는 그 구간에서 최댓값과 최솟값을 가진다. 이 성질로부터 다음과 같은 평균값 정리가 성립한다.

"함수 $f(x)$가 닫힌 구간 $[a, b]$에서 연속이고 열린 구간 (a, b)에서 미분가능하면
$\dfrac{f(b)-f(a)}{b-a} = f'(c)$인 c가 a와 b사이에 적어도 하나 존재한다."

평균값 정리를 사용하면 함수 $f(x)$가 어떤 열린 구간에서 미분가능할 때, 그 구간의 모든 x에 대하여 $f'(x) > 0$이면 $f(x)$는 그 구간에서 증가한다는 것을 보일 수 있다.

[다] 자연수 n에 대한 명제 $p(n)$이 모든 자연수 n에 대하여 성립함을 증명하려면 다음 두 가지를 보이면 된다.
(i) $n=1$일 때 명제 $p(n)$이 성립한다.
(ii) $n=k$일 때 명제 $p(n)$이 성립한다고 가정하면 $n=k+1$일 때도 명제 $p(n)$이 성립한다.

또한 자연수 n에 대한 명제 $p(n)$이 $n \ge m$(m은 자연수)인 모든 자연수 n에 대하여 성립함을 증명하려면 다음 두 가지를 보이면 된다.
(i) $n=m$일 때 명제 $p(n)$이 성립한다.
(ii) $n=k$일 때 명제 $p(n)$이 성립한다고 가정하면 $n=k+1$일 때도 명제 $p(n)$이 성립한다.

[라] 자연수 n에 대한 명제 $p(n)$이 모든 자연수 n에 대하여 성립함을 위 제시문 [다]의 (i), (ii)와 같은 단계에 따라 증명하는 방법을 수학적 귀납법이라고 한다. 제시문 [다]의 논리와 마찬가지로 자연수 n에 대한 명제 $p(n)$에 대해서 다음 두 가지를 보이면 명제 $p(n)$은 모든 자연수 n에 대하여 성립한다.
(i) $n=1$과 $n=2$일 때 명제 $p(n)$이 성립한다.
(ii) $n=k$와 $n=k+1$일 때 명제 $p(n)$이 성립한다고 가정하면 $n=k+2$일 때도 명제 $p(n)$이 성립한다.

[1] 제시문 [나]의 평균값 정리를 사용하여 $0 < a < b$일 때 부등식 $\sqrt{b}-\sqrt{a} < \dfrac{b-a}{2\sqrt{a}}$이 성립함을 보이시오.

[2] 제시문 [가]와 [나]를 참조하여 미분가능 함수 $f:(0,\ \infty)\rightarrow(0,\ \infty)$가 모든 $x>0$에 대하여 $f'(x)\geq f(x)$을 만족할 때 $\lim_{x\rightarrow\infty}f(x)=\infty$임을 보이시오.

[3] 유리수 전체의 집합을 Q라 하자. Q에서 정의된 함수 f가 모든 $x,\ y\in Q$에 대하여 등식 $f(x+y)-f(x-y)=2f(y)$를 만족할 때, 제시문 [다]와 [라]를 참조하여 r이 임의로 주어진 양의 유리수일 때 모든 자연수 n에 대하여 $f(nr)=f(r)n$임을 보이시오.

[4] 문항 [3]의 결과를 이용하여 함수 f는 모든 유리수 x에 대하여 $f(x)=f(1)x$를 만족함을 보이시오.

수시 논술전형 답안지

❶ 본 답안지는 연습용입니다. 실제 시험 답안지와는 다릅니다.

서강대학교 SOGANG UNIVERSITY

모 집 단 위

답 안 지	성 명	응시계열	
자 연		인문/인문·자연계열	○
		자연	○

수 험 번 호									
N	A	A							
			⓪	⓪	⓪	⓪	⓪	⓪	⓪
			①	①	①	①	①	①	①
			②	②	②	②	②	②	②
			③	③	③	③	③	③	③
			④	④	④	④	④	④	④
			⑤	⑤	⑤	⑤	⑤	⑤	⑤
			⑥	⑥	⑥	⑥	⑥	⑥	⑥
			⑦	⑦	⑦	⑦	⑦	⑦	⑦
			⑧	⑧	⑧	⑧	⑧	⑧	⑧
●	●	●	⑨	⑨	⑨	⑨	⑨	⑨	⑨

생년월일 (예:030418)					
⓪	⓪	⓪	⓪	⓪	⓪
①	①	①	①	①	①
②	②	②	②	②	②
③	③	③	③	③	③
④	④	④	④	④	④
⑤	⑤	⑤	⑤	⑤	⑤
⑥	⑥	⑥	⑥	⑥	⑥
⑦	⑦	⑦	⑦	⑦	⑦
⑧	⑧	⑧	⑧	⑧	⑧
⑨	⑨	⑨	⑨	⑨	⑨

① 인적사항 (모집단위, 성명, 수험번호, 생년월일)은 반드시 검은색 필기구(연필 제외)로 정확히 기재하기 바라며, 수정이 불가능합니다.
② 답안 작성은 검은색 필기구(연필 포함)를 사용하기 바랍니다(수정테이프 및 지우개 사용가능).
※ 검은색 이외의 필기구 절대 사용 불가
③ 성명에 반드시 감독관의 날인을 받아야 합니다.
④ 반드시 답안 영역 안에 작성하시기 바랍니다.

문제 1번

이 줄 밑에는 답안 작성을 하지 말 것

수시 논술전형 답안지

VI. 예시 답안

1. 2024학년도 서강대 수시 논술 1차

[문제 1] 자연수 n에 대하여 a, b, c, d는 각각 $-n$보다 크거나 같고 n보다 작거나 같은 정수이다. $-1 \le x \le 1$에서 $f(x)$를 다음과 같이 정의하자.

$$f(x)=\begin{cases} x & (-1 \le x < 0) \\ d & (x=0) \\ \dfrac{a}{2}x^2+bx+c & (0 < x \le 1) \end{cases}$$

【1－1】 $f(x)$가 닫힌구간 $[-1,\ 1]$에서 증가하는 함수가 되도록 하는 순서쌍 $(a,\ b)$와 $(c,\ d)$의 개수를 각각 구하시오.

【1－2】 $f(x)$가 닫힌구간 $[-1,\ 1]$에서 증가하는 연속함수이고 열린구간 $(-1,\ 1)$에서 미분가능한 함수라 하자. $\int_{-1}^{1} f(x)dx \le 1$을 만족하는 순서쌍 $(a,\ b)$와 $(c,\ d)$의 개수를 각각 구하시오.

자연수 n에 대하여 $-n$부터 n까지 서로 다른 정수가 적힌 $2n+1$장의 카드가 주머니에 들어 있다. 주머니에서 임의로 한 장을 뽑아 수를 확인하고 주머니에 다시 넣는다. 이 시행을 4번 반복하여 나온 수를 차례로 위에 정의된 함수 $f(x)$의 a, b, c, d라 하자. 문항【1－3】과【1－4】에 답하시오.

【1－3】 위 시행으로부터 얻어진 함수 $f(x)$가 닫힌구간 $[-1,\ 1]$에서 연속일 때, $f(x)$가 증가하는 함수일 확률을 구하시오.

【1－4】 위 시행으로부터 얻어진 함수 $f(x)$가 닫힌구간 $[-1,\ 1]$에서 증가할 때, $f(x)$가 열린구간 $(-1,\ 1)$에서 미분가능한 함수일 확률을 구하시오.

【1－1】

구간 $[-1,\ 0)$에서 $f(x)=x$는 증가하는 함수이다. $x=0$에서 $\lim_{x \to 0-} f(x) \le f(0) \le \lim_{x \to 0+} f(x)$를 만족해야 하므로 $0 \le d \le c \le n$을 얻는다. 그리고 구간 $[0,\ 1]$에서 $f(x)$가 증가할 조건은 아래의 그림처럼 세 가지의 경우로 나누어 찾을 수 있다.

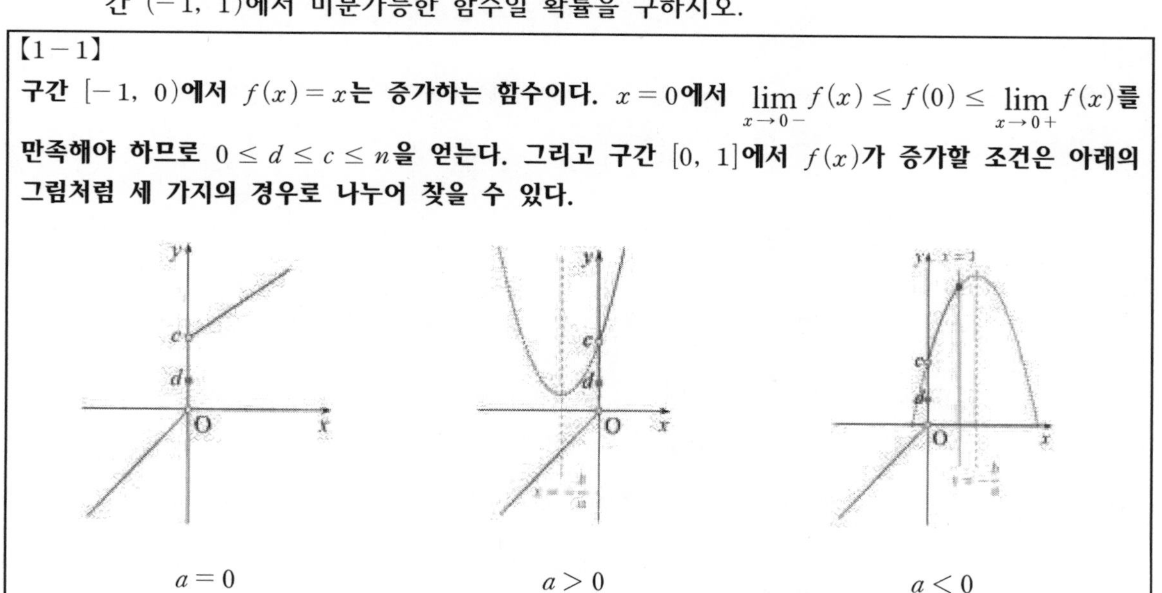

$a=0$ $a>0$ $a<0$

① $a=0$일 때, $0<b\le n$을 만족해야 하므로 $(a,\ b)$의 개수는 n

② $a>0$일 때, $-\frac{b}{a}\le 0$을 만족해야 하므로 $0\le b\le n$이 되어 $(a,\ b)$의 개수는 $n(n+1)$

③ $a<0$일 때, $-\frac{b}{a}\ge 1$을 만족해야 하므로 $0<-a\le b\le n$이 되어 $(a,\ b)$의 개수는 $\frac{n(n+1)}{2}$

그러므로 $(a,\ b)$의 개수는 $n+n(n+1)+\frac{n(n+1)}{2}=\frac{n(3n+5)}{2}$이다.

한편, $(c,\ d)$는 $0\le d\le c\le n$를 만족해야 하므로, $(c,\ d)$의 개수는

$$_{n+1}\mathrm{H}_2={}_{n+2}\mathrm{C}_2=\frac{(n+2)(n+1)}{2}$$

이다.

【1－2】

($f(x)$가 연속함수일 조건) 함수 $f(x)$는 $[-1,\ 0)$과 $(0,\ 1]$에서 다항함수이므로 연속이다.

$x=0$에서 $f(x)$가 연속일 조건은 $f(0)=d$, $\lim_{x\to 0-}f(x)=0$, $\lim_{x\to 0+}f(x)=c$가 모두 같은 것이다.

따라서 $c=d=0$이다.

($f(x)$가 미분가능할 조건) 함수 $f(x)$는 $(-1,\ 0)$과 $(0,\ 1)$에서 다항함수이므로 미분가능하다.

$x=0$에서 $f(x)$가 미분가능할 조건은 $\lim_{h\to 0+}\frac{\frac{a}{2}h^2+bh-0}{h}=b$와 $\lim_{h\to 0-}\frac{h-0}{h}=1$이 같은 것이다.

따라서 $b=1$이다.

($f(x)$가 증가하고 미분가능할 조건) $b=1$이어야 하므로 문항【1－1】로부터 $-1\le a\le n$이다.

(적분 조건) $\int_{-1}^{0}f(x)dx=\int_{-1}^{0}xdx=-\frac{1}{2}$이므로 $\int_{0}^{1}f(x)dx\le\frac{3}{2}$이어야 한다. 따라서,

$$\frac{3}{2}\ge\int_0^1\left(\frac{a}{2}x^2+x\right)dx=\frac{a}{6}+\frac{1}{2}$$

즉, $a\le 6$이다.

그러므로 $n\ge 6$일 때 $-1\le a\le 6$이고, $1\le n\le 5$일 때 $-1\le a\le n$이다.

따라서 $(c,\ d)$의 개수는 1이고, $(a,\ b)$의 개수는 $1\le n\le 5$일 때 $n+2$이고 $n\ge 6$일 때 8이다.

【1－3】

정수 $a,\ b,\ c,\ d$는 각각 $-n$보다 크거나 같고 n보다 작거나 같으므로 근원사건의 개수는 $(2n+1)^4$이다.

($f(x)$가 연속함수일 확률) 문항【1－2】로부터 $f(x)$가 연속함수일 $a,\ b,\ c,\ d$의 개수는 $(2n+1)^2$이므로 $f(x)$가 연속함수일 확률은 $\frac{(2n+1)^2}{(2n+1)^4}=\frac{1}{(2n+1)^2}$이다.

($f(x)$가 증가하는 연속함수일 확률) 문항【1－2】로부터

$f(x)$가 증가하는 연속함수일 $a,\ b,\ c,\ d$의 개수는 $\frac{n(3n+5)}{2}$이므로

$f(x)$가 증가하는 연속함수일 확률은 $\frac{n(3n+5)}{2(2n+1)^4}$이다.

그러므로 구하는 확률은 $\frac{n(3n+5)}{2(2n+1)^2}$ 이다.

【1－4】

($f(x)$가 증가할 확률) 문항【1－1】로부터 $f(x)$가 증가할 a, b, c, d의 개수는

$\frac{n(3n+5)(n+1)(n+2)}{4}$ 이므로 $f(x)$가 증가할 확률은 $\frac{n(3n+5)(n+1)(n+2)}{4(2n+1)^4}$ 이다.

($f(x)$가 미분가능하고 증가할 확률) 문항【1－2】로부터

$f(x)$가 미분가능하고 증가할 a, b, c, d의 개수는 $n+2$이므로

$f(x)$가 미분가능하고 증가할 확률은 $\frac{n+2}{(2n+1)^4}$ 이다.

그러므로 구하는 확률은 $\frac{4}{n(3n+5)(n+1)}$ 이다.

【2－1】 좌표평면 위를 움직이는 점 P의 시각 t에서 위치 $(x,\ y)$가 $x=\frac{1}{3}e^{3t}+te^{t}$, $y=\int_{\ln\sqrt{2}}^{t}\sqrt{(2s-s^2)e^{2s}+2s}\,ds$일 때, 시각 $t=\frac{1}{2}$에서 $t=\ln 2$까지 점 P가 움직인 거리를 구하시오.

【2－2】 $x\geq 0$일 때 부등식 $2e^{x}>x^{2}$이 성립함을 보이고, 이 부등식을 이용하여 극한값 $\lim_{x\to\infty}xe^{-x}$을 구하시오. 그리고 구간 $(-\infty,\ \infty)$에서 함수 $f(x)=xe^{-x}$의 그래프의 개형을 그리시오.

양수 c에 대하여 다음 그림과 같이 직사각형 R_0의 두 변은 각각 x축, 직선 $x=c$ 위에 있고, 한 꼭짓점은 곡선 $y=e^{-x}$ 위에 있다. 이때, 곡선 $y=e^{-x}$ 위의 꼭짓점을 $(t,\ e^{-t})$이라 하자. 곡선 $y=e^{-x}$ 위의 점 $(t,\ e^{-t})$에서의 접선의 x절편을 t_1이라 할 때, 두 변이 각각 x축, 직선 $x=t$ 위에 있고 한 꼭짓점이 곡선 $y=e^{-x}$ 위의 점 $(t_1,\ e^{-t_1})$인 직사각형을 R_1이라 하자. 곡선 $y=e^{-x}$ 위의 점 $(t_1,\ e^{-t_1})$에서의 접선의 x절편을 t_2라 할 때, 두 변이 각각 x축, 직선 $x=t_1$ 위에 있고 한 꼭짓점이 곡선 $y=e^{-x}$ 위의 점 $(t_2,\ e^{-t_2})$인 직사각형을 R_2라 하자. 이 과정을 반복하여 직사각형 R_1, R_2, $\cdots$, R_n을 만든다. 문항【2－3】과【2－4】에 답하시오. (단, $t>c$이고 n은 자연수)

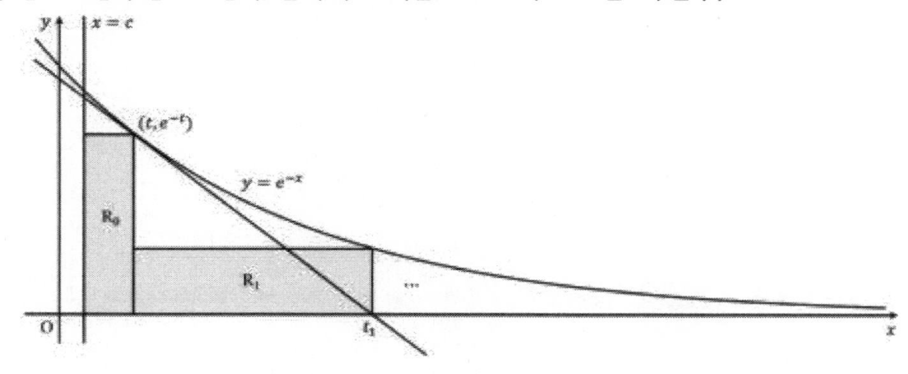

【2－3】 두 개의 직사각형 R_0와 R_1의 넓이의 합의 최댓값이 $\frac{1}{e}$일 때, c의 값을 구하시오.

【2－4】 $c=\frac{1}{e}$일 때, $n+1$개의 직사각형 R_0, R_1, R_2, $\cdots$, R_n의 넓이의 합이 최대가 되는 t를 a_n이라 하자. 극한값 $\lim_{n\to\infty} a_n$을 구하시오.

【2－1】

$\frac{dx}{dt}=e^{3t}+(t+1)e^t$, $\frac{dy}{dt}=\sqrt{(2t-t^2)e^{2t}+2t}$ **이므로 점 P가 움직인 거리는**

$$\int_{\frac{1}{2}}^{\ln 2}\sqrt{\left(\frac{dx}{dt}\right)^2+\left(\frac{dy}{dt}\right)^2}\,dt=\int_{\frac{1}{2}}^{\ln 2}\sqrt{(e^{3t}+te^t+e^t)^2+(2t-t^2)e^{2t}+2t}\,dt$$

근호 안의 식을 정리하면

$$\begin{aligned}\{e^{3t}+(t+1)e^t\}^2+(2t-t^2)e^{2t}+2t&=t(2e^{4t}+4e^{2t}+2)+e^{6t}+2e^{4t}+e^{2t}\\&=2t(e^{4t}+2e^{2t}+1)+e^{2t}(e^{4t}+2e^{2t}+1)\\&=(2t+e^{2t})(e^{2t}+1)^2\end{aligned}$$

이므로 점 P가 움직인 거리는 $\int_{\frac{1}{2}}^{\ln 2}(e^{2t}+1)\sqrt{e^{2t}+2t}\,dt$**이다.**

$e^{2t}+2t=u$**로 놓으면** $\frac{du}{dt}=2(e^{2t}+1)$**이고,**

$t=\frac{1}{2}$**일 때** $u=e+1$, $t=\ln 2$**일 때** $u=4+2\ln 2$**이므로 점 P가 움직인 거리는**

$$\int_{\frac{1}{2}}^{\ln 2}(e^{2t}+1)\sqrt{e^{2t}+2t}\,dt=\frac{1}{2}\int_{e+1}^{4+2\ln 2}\sqrt{u}\,du=\frac{(4+2\ln 2)^{\frac{3}{2}}-(e+1)^{\frac{3}{2}}}{3}$$

이다.

【2－2】

$g(x)=2e^x-x^2$**이라고 하면,** $g'(x)=2(e^x-x)>0$**이므로 제시문 [나]에 의해** $g(x)$**는 증가한다.** $g(0)=2>0$**이므로** $x\ge 0$**에서** $g(x)>0$**이 되어 부등식** $2e^x>x^2$**이 성립한다. 따라서** $x>0$**일 때,** $0<xe^{-x}<\frac{2}{x}$**이고** $\lim_{x\to\infty}\frac{2}{x}=0$**이므로** $\lim_{x\to\infty}xe^{-x}=0$**이다.**

함수 $f(x)=xe^{-x}$**의 정의역은 실수 전체의 집합이고,** $f(0)=0$**이므로 원점을 지난다.** $f'(x)=(1-x)e^{-x}$**이고** $f''(x)=(x-2)e^{-x}$**이므로, 함수** $f(x)$**의 증가와 감소를 표로 나타내면 다음과 같다.**

x	$\cdots$	1	$\cdots$	2	$\cdots$
$f'(x)$	+	0	−	−	−
$f''(x)$	−	−	−	0	+
$f(x)$	↗	e^{-1}	↘	$2e^{-2}$	↘

함수 $f(x)$**는** $x=1$**에서 극댓값** e^{-1}**을 갖고, 곡선** $y=f(x)$**의 변곡점의 좌표는** $(2,\ 2e^{-2})$**이다. 또** $\lim_{x\to-\infty}f(x)=-\infty$**이고** $\lim_{x\to\infty}f(x)=0$**이다. 따라서 함수** $f(x)$**의 그래프의 개형은 다음 그림과 같다.**

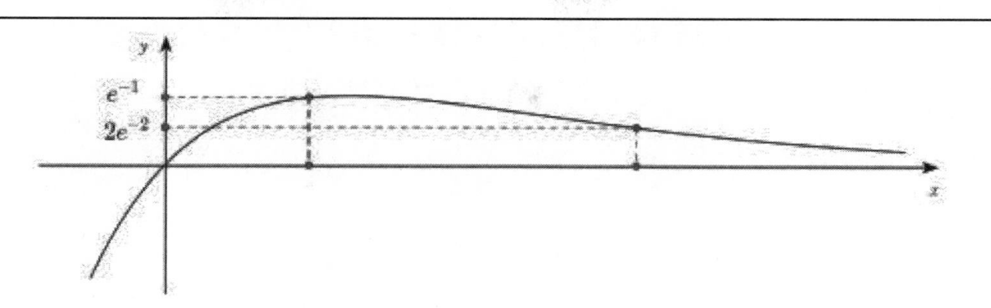

【2－3】

직사각형 R_0의 넓이는 $(t-c)e^{-t}$이다. 그리고, 제시문 [라]에 의하여, 곡선 $y=e^{-x}$ 위의 점 $(t,\ e^{-t})$에서의 접선의 방정식은 $y=-e^{-t}(x-t)+e^{-t}$이다. 따라서 이 접선의 x절편은 $t_1=t+1$이 되어, 직사각형 R_1의 넓이는 e^{-t-1}이다. 직사각형 R_0와 R_1의 넓이의 합을 $S(t)$라 고 하면

$$S(t)=(t-c)e^{-t}+e^{-t-1}=(t-c+e^{-1})e^{-t}\ \ (t>c)$$

이 되어 $S'(t)=(1-t+c-e^{-1})e^{-t}$이므로, 함수 $S(t)$의 증가와 감소를 표로 나타내면 다음과 같다.

t	c	$\cdots$	$1+c-e^{-1}$	$\cdots$
$S'(t)$		$+$	0	$-$
$S(t)$		↗	$e^{-1-c+e^{-1}}$	↘

따라서 함수 $S(t)$는 $t=c+1-e^{-1}$에서 최댓값 $e^{-1-c+e^{-1}}$을 갖는다.

최댓값이 $\dfrac{1}{e}$이므로 $c=\dfrac{1}{e}$이다.

【2－4】

직사각형 R_0의 넓이는 $(t-e^{-1})e^{-t}$이다. $k=1,\ 2,\ 3,\ \cdots,\ n$일 때, 곡선 $y=e^{-x}$ 위의 점 $(t+k-1,\ e^{-t-k+1})$에서의 접선의 방정식은 $y=-e^{-t-k+1}(x-t-k+1)+e^{-t-k+1}$이다. 따라서 이 접선의 x절편은 $t_k=t+k$이 되어, 직사각형 R_k의 넓이는 e^{-t-k}이다. 직사각형 R_0, R_1, R_2, $\cdots$, R_n의 넓이의 합을 $A(t)$라고 하면

$$A(t)=(t-e^{-1})e^{-t}+e^{-t}\sum_{k=1}^{n}e^{-k}(t>e^{-1})$$

$S_n=\displaystyle\sum_{k=1}^{n}e^{-k}$**이라고 하면, $A(t)=(t-e^{-1}+S_n)e^{-t}$이 되어**

$$A'(t)=(1-t+e^{-1}-S_n)e^{-t}$$

그러므로 함수 $A(t)$의 증가와 감소를 표로 나타내면 다음과 같다.

t	e^{-1}	$\cdots$	$1+e^{-1}-S_n$	$\cdots$
$A'(t)$		$+$	0	$-$
$A(t)$		↗		↘

따라서 함수 $A(t)$는 $t=a_n=1+e^{-1}-S_n$에서 최댓값을 갖는다.

$\displaystyle\lim_{n\to\infty}S_n=\sum_{n=1}^{\infty}e^{-n}$**은 첫째항이 e^{-1}, 공비가 e^{-1}인 등비급수이므로 $\displaystyle\lim_{n\to\infty}S_n=\frac{e^{-1}}{1-e^{-1}}=\frac{1}{e-1}$이다. 따라서**

$$\lim_{n\to\infty}a_n=1+\frac{1}{e}-\frac{1}{e-1}$$

2. 2024학년도 서강대 수시 논술 2차

【1－1】 다음 그림과 같은 도로망이 있다. 서강이와 한국이는 P지점을 동시에 출발하여 같은 속력으로 Q지점까지 최단 경로로 이동한다. 서강이와 한국이가 이동 중에 만나지 않고 Q지점에 도착할 확률을 구하시오.

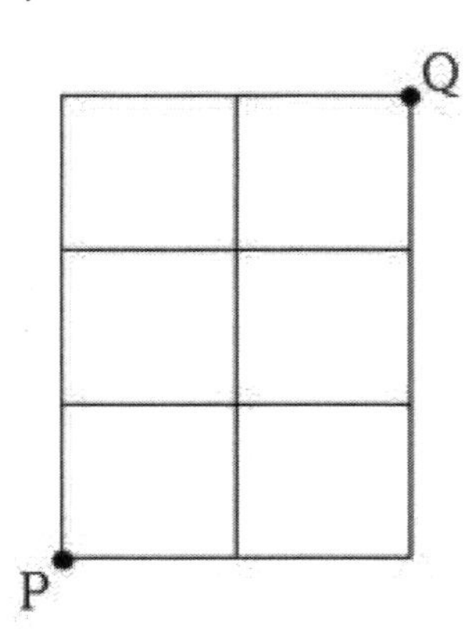

【1－2】 I♡Sogang의 7개의 문자 I, S, o, g, a, n, g와 1개의 기호 ♡를 일렬로 나열할 때, 기호 ♡와 문자 g가 이웃하도록 나열하는 경우의 수를 구하시오.

【1－3】 미분가능한 함수 $f(t)$에 대하여 좌표평면 위를 움직이는 점 P의 시각 t에서 위치 $(x,\ y)$가 $x=f(t)$, $y=\sin f(t)$이다. $x=\dfrac{\pi}{3}$에서 점 P의 속력이 1일 때, 점 P의 속도로 가능한 것을 모두 구하시오.

【1－4】 다음 그림과 같이 닫힌구간 $[0,\ \pi]$에서 두 곡선 $y=\sin x$와 $y=-\sin x$로 둘러싸인 도형에 내접하는 직사각형이 있다. 직사각형의 한 꼭짓점의 좌표를 $(t,\ \sin t)$라 할 때, 직사각형의 넓이가 최대가 되는 $t=t_0$가 오직 하나 존재함을 보이시오. 또한, 정적분 $\displaystyle\int_0^{t_0}(1+\sec^2 x)dx$의 값을 구하시오.(단, $0<t<\dfrac{\pi}{2}$)

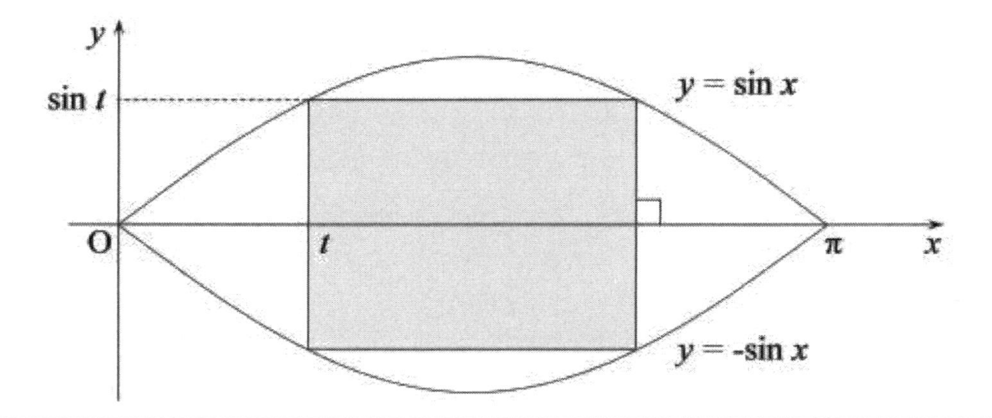

【1－1】
그림 1과 같은 도로망에서 P지점을 출발하여 Q지점까지 최단 경로로 이동하는 경우의 수는 $\dfrac{5!}{3!2!}=10$**이므로, 근원사건의 개수는** $10\times10=100$**이다.**

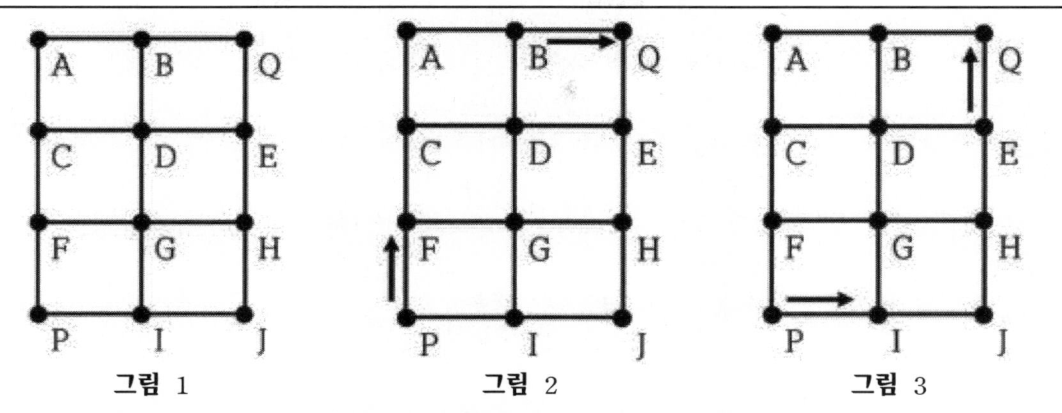

그림 1　　　　그림 2　　　　그림 3

서강이와 한국이가 도중에 만나지 않고 이동하는 경우의 수는 다음과 같이 두 가지로 나누어 구할 수 있다.

① 서강이가 그림 2처럼 F지점과 B지점을 통과하는 경우: 이때 한국이는 그림 3처럼 I지점과 E지점을 통과해야 한다.

② 서강이가 그림 3처럼 I지점과 E지점을 통과하는 경우: 이때 한국이는 그림 2처럼 F지점과 B지점을 통과해야 한다.

① 서강이가 F지점과 B지점을 통과하는 경우:

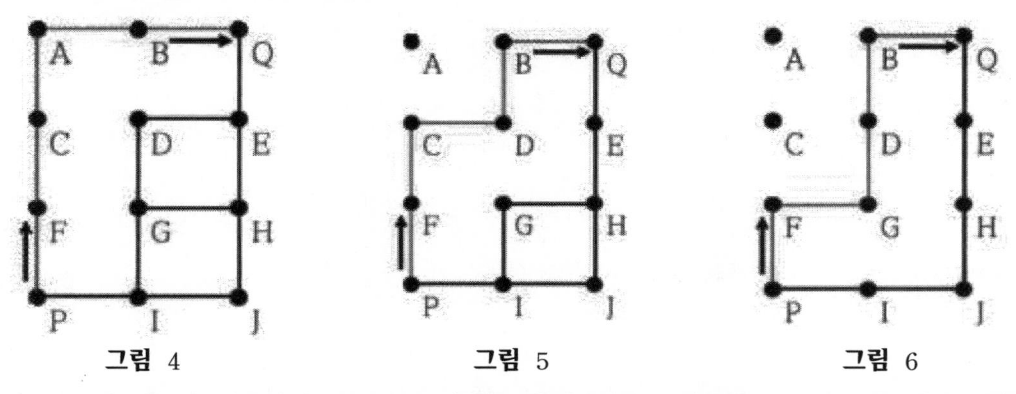

그림 4　　　　그림 5　　　　그림 6

①-ⓐ (그림 4) 서강이가 PFCABQ(빨간 선)인 경로로 이동하는 경우, 한국이가 이동할 수 있는 경로는 3가지(검은 선)이다.

①-ⓑ (그림 5) 서강이가 PFCDBQ(빨간 선)인 경로로 이동하는 경우, 한국이가 이동할 수 있는 경로는 2가지(검은 선)이다.

①-ⓒ (그림 6) 서강이가 PFGDBQ(빨간 선)인 경로로 이동하는 경우, 한국이가 이동할 수 있는 경로는 1가지(검은 선)이다.

따라서, ①에 해당하는 경우의 수는 $3+2+1=6$가지이다.

② 서강이가 I지점과 E지점을 통과하는 경우:

①에서 서강이와 한국이가 택한 경로를 서로 맞바꾸면 되므로 ①에 해당하는 경우의 수와 같이 6가지이다.

그러므로 서강이와 한국이가 도중에 만나지 않고 이동하는 경우의 수는 $6+6=12$가지이다.

따라서 서강이와 한국이가 이동 중에 만나지 않고 Q지점에 도착할 확률은 $\frac{12}{100}=\frac{3}{25}$이다.

【1－2】

① 문자 g**가 기호** ♡**의 왼쪽에 이웃하도록 나열하는 경우의 수는** ‘g♡’, ‘I’, ‘S’, ‘o’, ‘a’, n’, ‘g’ **일렬로 나열하는 경우의 수와 같으므로,** $7!=5040$**이다.**

② 문자 g**가 기호** ♡**의 오른쪽에 이웃하도록 나열하는 경우의 수는** ‘♡g’, ‘I’, ‘S’, ‘o’, ‘a’, ‘n’, ‘g’**를 일렬로 나열하는 경우의 수와 같으므로,** $7!=5040$**이다.**

③ 문자 g**가 기호** ♡**의 왼쪽 및 오른쪽에 각각 이웃하도록 나열하는 경우의 수는** ‘g♡g’, ‘I’, ‘S’, ‘o’, ‘a’, ‘n’**을 일렬로 나열하는 경우의 수와 같으므로,** $6!=720$**이다.**

따라서, 기호 ♡**와 문자** g**가 이웃하도록 나열하는 경우의 수는**

$$5040+5040-720=9360$$

【1－3】 $\dfrac{dx}{dt}=f'(t)$, $\dfrac{dy}{dt}=f'(t)\cos f(t)$**이므로 제시문 [나]에 의해 점** P**의 속력은**

$$\sqrt{\left(\frac{dx}{dt}\right)^2+\left(\frac{dy}{dt}\right)^2}=\sqrt{\{f'(t)\}^2+\{f'(t)\cos f(t)\}^2}=|f'(t)|\sqrt{1+\cos^2 f(t)}$$

$x=\dfrac{\pi}{3}$**일 때의 시각을** t_0**라고 하면,** $f(t_0)=x=\dfrac{\pi}{3}$**이고 이때 속력이** 1**이므로**

$$|f'(t_0)|\sqrt{1+\cos^2 f(t_0)}=|f'(t_0)|\sqrt{1+\frac{1}{4}}=1$$

따라서 $\dfrac{dx}{dt}=f'(t_0)=\pm\dfrac{2\sqrt{5}}{5}$**이고** $\dfrac{dy}{dt}=f'(t_0)\cos f(t_0)=\pm\dfrac{2\sqrt{5}}{5}\cos\dfrac{\pi}{3}=\pm\dfrac{\sqrt{5}}{5}$**이다.**

그러므로, $x=\dfrac{\pi}{3}$**에서 점** P**의 가능한 속도는 제시문 [나]에 의해**

$$\left(\frac{2\sqrt{5}}{5},\ \frac{\sqrt{5}}{5}\right),\ \left(-\frac{2\sqrt{5}}{5},\ -\frac{\sqrt{5}}{5}\right)$$

【1－4】

직사각형의 넓이를 $S(t)$**라고 하면,**

$$S(t)=2\left(\frac{\pi}{2}-t\right)\times 2\sin t=4\left(\frac{\pi}{2}-t\right)\sin t\ \left(0<t<\frac{\pi}{2}\right)$$

$S'(t)=-4\left\{\sin t-\left(\dfrac{\pi}{2}-t\right)\cos t\right\}=-4\cos t\left\{\tan t-\left(\dfrac{\pi}{2}-t\right)\right\}$**이고**

$0<t<\dfrac{\pi}{2}$**일 때** $\cos t\neq 0$**이므로** $S'(t)=0$**이기 위해서는** $\tan t=\dfrac{\pi}{2}-t$**를 만족해야 한다.**

$0<t<\dfrac{\pi}{2}$**에 대하여** $f(t)=\tan t$, $g(t)=\dfrac{\pi}{2}-t$**라고 할 때, 두 함수의 그래프는 그림과 같다.**

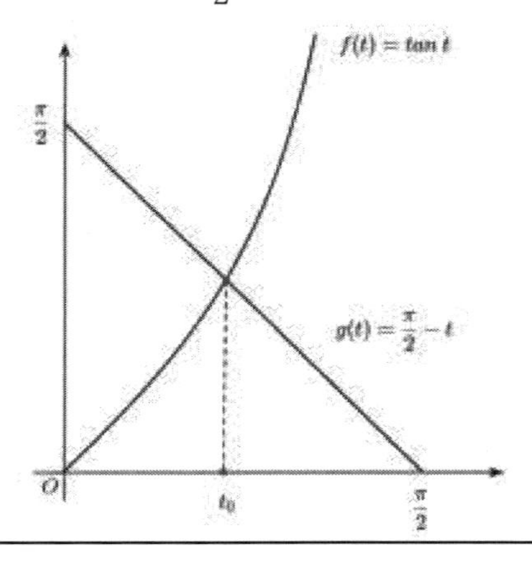

$f(0) < g(0)$, $\lim\limits_{t \to \frac{\pi}{2}-} f(t) = \infty$, $g\left(\frac{\pi}{2}\right) = 0$**이라는 사실과** $f(t)$**와** $g(t)$**의 그래프에 의해 방정식** $f(t) = g(t)$**는 오직 하나의 실근을 갖는다. 이 실근을** t_0**라고 하고, 함수** $S(t)$**의 증가와 감소를 표로 나타내면 다음과 같다.**

t	0	$\cdots$	t_0	$\cdots$	$\frac{\pi}{2}$
$S'(t)$		$+$	0	$-$	
$S(t)$		$\nearrow$		$\searrow$	

따라서, $S(t)$**는** $t = t_0$**일 때만 최대가 된다.**

또한, $\tan t_0 = \frac{\pi}{2} - t_0$**이므로 정적분의 값은**

$$\int_0^{t_0} (1 + \sec^2 x)dx = [x + \tan x]_0^{t_0} = t_0 + \tan t_0 = t_0 + \left(\frac{\pi}{2} - t_0\right) = \frac{\pi}{2}$$

【2－1】 방정식 $x^4 - 8x^2 - 1 = 0$의 1보다 큰 해가 오직 하나 존재함을 보이시오.

1보다 큰 실수 t에 대하여, 곡선 $y = \frac{1}{x}$ 위의 두 점 $\mathrm{P}_1\left(\frac{1}{t}, t\right)$와 $\mathrm{P}_2\left(t, \frac{1}{t}\right)$에서의 접선을 각각 l_1과 l_2라 하고, 곡선 $y = \frac{1}{x}$과 두 접선 l_1과 l_2로 둘러싸인 도형의 넓이를 $S(t)$라 하자. 문항 【2－2】 ~ 【2－5】에 답하시오.

【2－2】 함수 $S(t)$를 구하시오.

【2－3】 함수 $y = t - 2\ln t$ $(t > 1)$의 최솟값을 구하고, 1보다 큰 실수 t에 대하여 $S(t) < t$임을 보이시오.

【2－4】 극한 $\lim\limits_{t \to 1+} S'(t)$를 조사하고, $t^2(t^2+1)^3 S''(t)$를 구하시오.

【2－5】 두 함수 $y = S(t)$와 $y = S^{-1}(t)$의 그래프의 개형을 한 평면에 그리시오. (단, 방정식 $x^4 - 8x^2 - 1 = 0$의 1보다 큰 해는 a라 한다.)

【2－1】

$f(x) = x^4 - 8x^2 - 1$**이라고 하면**

$f'(x) = 4x^3 - 16x = 4x(x+2)(x-2)$**이므로, 함수** $f(x)$**의 증가와 감소를 표로 나타내고 그래프를 그리면 다음과 같다.**

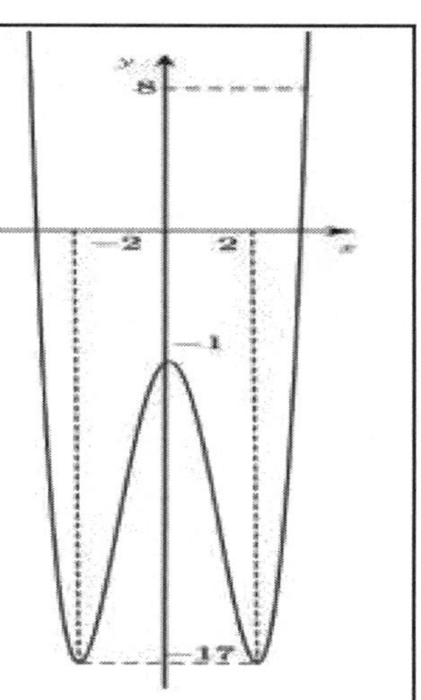

x	$\cdots$	-2	$\cdots$	0	$\cdots$	2	$\cdots$
$f'(x)$	$-$	0	$+$	0	$-$	0	$+$
$f(x)$	$\searrow$	-17	$\nearrow$	-1	$\searrow$	-17	$\nearrow$

$f(1) = -8 < 0$**이고** $f(3) = 8 > 0$**라는 사실과** $f(x)$**의 그래프에 의해 방정식** $x^4 - 8x^2 - 1 = 0$**의 1보다 큰 해는 오직 하나 존재한다.**

【2－2】

$y = \frac{1}{x}$**을 미분하면** $y' = -\frac{1}{x^2}$**이므로 제시문 [가]에 의해 두 접선**

l_1과 l_2의 방정식은 각각 $y-t=-t^2\left(x-\frac{1}{t}\right)$, $y-\frac{1}{t}=-\frac{1}{t^2}(x-t)$,

즉,

$$y=-t^2x+2t,\ y=-\frac{1}{t^2}x+\frac{2}{t}$$

이다.

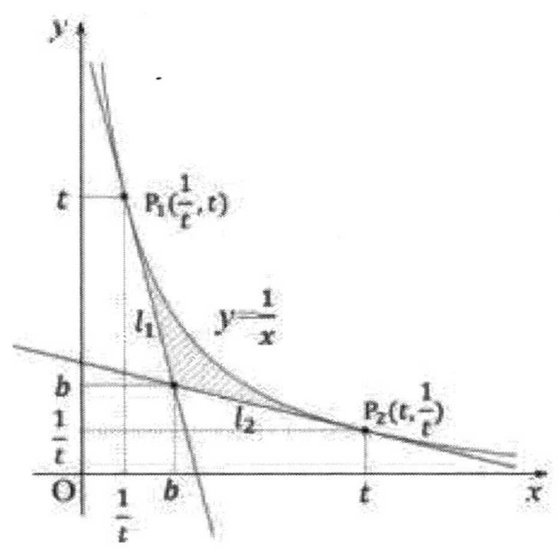

l_1과 l_2의 교점의 x좌표를 구하기 위해

$-t^2x+2t=-\frac{1}{t^2}x+\frac{2}{t}$을 풀면 $t>1$이기 때문에

$$x=\frac{2t}{t^2+1}$$

따라서, 교점의 좌표는 $\left(\frac{2t}{t^2+1},\ \frac{2t}{t^2+1}\right)$이다.

$b=\frac{2t}{t^2+1}$라 놓고 $S(t)$를 적분과 사다리꼴의 넓이를 이용하여 계산하면,

$$\begin{aligned} S(t) &= \int_{\frac{1}{t}}^{t}\frac{1}{x}dx-\frac{1}{2}(t+b)\left(b-\frac{1}{t}\right)-\frac{1}{2}\left(b+\frac{1}{t}\right)(t-b) \\ &= \ln t-\ln\frac{1}{t}-b\left(t-\frac{1}{t}\right) \\ &= 2\ln t-\frac{2(t^2-1)}{t^2+1} \end{aligned}$$

【2－3】

함수 $y=t-2\ln t\,(t>1)$의 최솟값을 구하기 위해, $g(t)=t-2\ln t\,(t>1)$라고 하면

$g'(t)=1-\frac{2}{t}=\frac{t-2}{t}$이므로 함수 $g(t)$의 증가와 감소를 표로 나타내면 다음과 같다.

t	1	$\cdots$	2	$\cdots$
$g'(t)$		$-$	0	$+$
$g(t)$		↘	$2-2\ln 2$	↗

따라서 $y=t-2\ln t\,(t>1)$의 최솟값은 $2-2\ln 2$이다.

그러므로 $t>1$**일 때,** $\frac{2(t^2-1)}{t^2+1}>0$**와** $\ln 2<\ln e=1$**임을 이용하면**

$$t-S(t)=t-2\ln t+\frac{2(t^2-1)}{t^2+1}>t-2\ln t\geq 2-2\ln 2=2(1-\ln 2)>0$$

이 되어 $S(t)<t$**이다.**

【2-4】

$S(t)=2\ln t-\frac{2(t^2-1)}{t^2+1}$**이므로**

$$S'(t)=\frac{2}{t}-2\times\frac{2t(t^2+1)-(t^2-1)(2t)}{(t^2+1)^2}=\frac{2}{t}-\frac{8t}{(t^2+1)^2}$$

이고

$$S''(t)=-\frac{2}{t^2}-8\left\{\frac{1}{(t^2+1)^2}-\frac{4t^2}{(t^2+1)^3}\right\}=-\frac{2}{t^2}-\frac{8}{(t^2+1)^2}+\frac{32t^2}{(t^2+1)^3}$$

따라서 $\lim_{t\to 1+}S'(t)=\frac{2}{1}-\frac{8}{(1^2+1)^2}=0$**이고** $t^2(t^2+1)^3S''(t)=-2(t^2+1)^3-8t^2(t^2+1)+32t^4$**이다.**

【2-5】

$S'(t)=\frac{2}{t}-\frac{8t}{(t^2+1)^2}=2\times\frac{(t^2+1)^2-(2t)^2}{t(t^2+1)^2}=\frac{2(t+1)^2(t-1)^2}{t(t^2+1)^2}$**이므로, 구간** $(1,\ \infty)$**에 속하는 모든** t**에 대하여** $S'(t)>0$**이다. 따라서** $S(t)$**의 극값은 존재하지 않고 제시문 [나]에 의해** $S(t)$**는 구간** $(1,\ \infty)$**에서 증가한다. 또한,**

$$\lim_{t\to 1+}S(t)=\lim_{t\to 1+}\left\{2\ln t-\frac{2(t^2-1)}{t^2+1}\right\}=2\ln 1-\frac{2(1^2-1)}{1^2+1}=0$$

이고

$\lim_{t\to\infty}S(t)=\lim_{t\to\infty}\left\{2\ln t-\frac{2(t^2-1)}{t^2+1}\right\}=\infty$**이므로 치역은** $(0,\ \infty)$**이다.**

$h(t)=t^4-8t^2-1$**라 하면,** $S''(t)=\frac{-2(t^2-1)h(t)}{t^2(t^2+1)^3}$**이다.**

따라서 $t>1$**일 때,** $S''(a)=0$**이고 문항 【2-1】의** $y=x^4-8x^2-1$**의 그래프로부터 다음을 알 수 있다.**

① $1<t<a$**이면** $h(t)<0$**이므로** $S''(t)>0$**이 되어 곡선** $y=S(t)$**는 아래로 볼록**

② $t>a$**이면** $h(t)>0$**이므로** $S''(t)<0$**이 되어 곡선** $y=S(t)$**는 위로 볼록**

그러므로 점 $(a,\ S(a))$**는 변곡점이다.**

따라서 $y=S(t)$**의 그래프의 개형을 그린 후, 이를 직선** $y=t$**에 대칭이 되도록 역함수** $y=S^{-1}(t)$**의 그래프의 개형을 그리면 그림과 같다.**

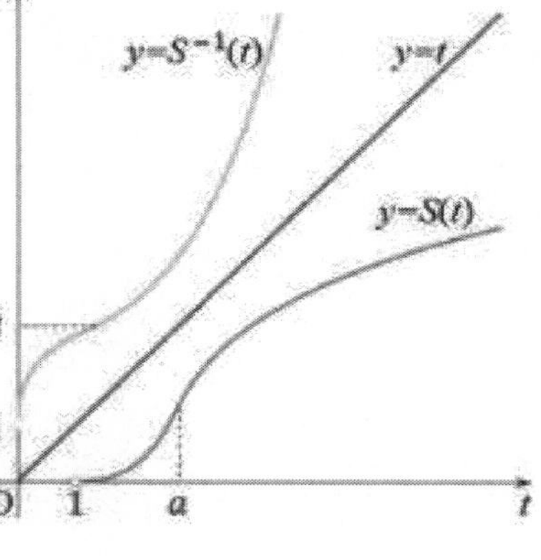

3. 2024학년도 서강대 모의 논술 1차

【1】 한 기차 회사가 A역과 B역을 오가는 열차를 운영하고자 한다. 이 회사는 하루에 총 2번의 열차 운행을 계획하고 있다. 각 열차는 A역과 B역을 출발하여 다른 역에 도착한다. 이 회사는 A역에서 출발하는 열차와 B역에서 출발하는 열차의 출발시각표를 만려고 한다. 각 역마다 다량의 열차가 대기하고 있으며, 출발 시각 순서로 표를 만들려고 한다. 하루에 2번의 열차 운행을 할 때 가능한 모든 시각표의 경우의 수를 구하시오.

【2】 한 기차 회사가 A역, B역, C역 운행을 목표로 한다. A역과 C역 사이에 C역이 있으며, 하루에 총 3번의 열차 운행을 계획하고 있다. 각 열차는 A역 또는 B역 또는 C역을 출발하여 다른 역에 도착한다. A역에서 출발하면 B역에 도착해야하고 C역에서 출발하면 B역에 도착해야 한다. 그리고 B역에서 출발하면 A역 또는 C역에 도착해야 하다. 이 회사는 A역에서 출발하는 열차와 B역에서 출발하는 열차 그리고 C역에서 출발하는 열차의 출발시각표를 만들려고 한다. 각 역마다 다량의 열차가 대기하고 있으며, 출발 시각 순서로 표를 만들려고 한다. 하루에 3번의 열차 운행을 할 때 가능한 모든 시각표의 경우의 수를 구하시오.

제시문 [나]를 참조하여 문제 [1-3]과 [1-4]에 답하시오.

【3】 정의된 함수 $f(x)$에 대하여 함수 $f(x)$를 n번 합성한 함수를 $f^{(x)}(x)$라고 하면 $f^{(n)}(x)$은 주기 1인 주기함수임을 보이고 $f^{(x)}(1/2)=1$을 만족하는 모든 n을 찾으시오.

【4】 정의된 함수 $f(x)$에 대하여

$$a_{3n+1}=\int_{n+1/3}^{n+2/3}(n+1)f^{(3n+1)}(x)(x-n)^n dx$$

이라 할 때, $\sum_{n=0}^{\infty}a_{3n+1}$을 계산하시오.

【1】 주어진 조건에서 하루에 총 2번의 열차 운행을 하고, 열차는 A역과 B역을 오가며 반드시 B역을 거쳐서 도착해야 한다고 가정한다. 이때, A역에서 출발하는 열차의 횟수를 k번으로 정하면, B역에서 출발하는 열차의 횟수는 $(2-k)$번이 된다.

우리는 0부터 2까지의 정수 k에 대해 A역에서 출발하는 열차가 k번, B역에서 출발하는 열차가 $(2-k)$번인 출발표를 구하면 된다. 가능한 모든 경우를 나열해보면 다음과 같다.

1. A역에서 출발하는 열차 0번, B역에서 출발하는 열차 2번인 시각표 : BB
2. A역에서 출발하는 열차 1번, B역에서 출발하는 열차 1번인 시각표 : AB (A에서 먼저 출발 후, B출발), BA (B에서 먼저 출발 후, A출발)
3. A역에서 출발하는 열차 2번, B역에서 출발하는 열차 0번인 시각표: AA
따라서 가능한 모든 출발시각표는 1+2+1=4가지가 된다.

【2】 A역에서 출발하는 열차의 횟수를 k번, B역에서 출발하는 열차의 횟수를 l번, C역에서 출발하는 열차의 횟수를 m번으로 정하면, 다음 조건을 만족해야 한다.

1. A역에서 출발하는 열차: k번, 도착: B역
2. B역에서 출발하는 열차: l번, 도착: A역 또는 C역
3. C역에서 출발하는 열차: m번, 도착: B역

이때, 우리는 3번의 열차 운행 중에서 각 역에서 출발하는 열차의 횟수를 선택할 수 있다. 즉, 가능한 모든 경우를 구하기 위해서는 0부터 3까지의 정수 k, l, m에 대해 위의 조건을 만족하는 값을 찾으면 된다. 가능한 모든 경우를 나열해보면 다음과 같다. B역을 출발하는 경우는 도착역이 A역 또는 C역이 가능하므로 각각 B(A), B(C)로 표기한다.

1. A역에서 출발하는 열차 0번, B역에서 출발하는 열차 1번, C역에서 출발하는 열차 2번인 시각표:
   B(A)CC의 순열 3가지, B(C)CC의 순열 3가지
2. A역에서 출발하는 열차 0번, B역에서 출발하는 열차 2번, C역에서 출발하는 열차 1번인 시각표:
   B(A)B(A)C의 순열 3가지, B(C)B(C)C의 순열 3가지, B(A)B(C)C의 순열 6가지
3. A역에서 출발하는 열차 1번, B역에서 출발하는 열차 0번, C역에서 출발하는 열차 2번인 시각표:
   ACC의 순열 3가지
4. A역에서 출발하는 열차 1번, B역에서 출발하는 열차 2번, C역에서 출발하는 열차 0번인 시각표:
   AB(A)B(A)의 순열 3가지, AB(C)B(C)의 순열 3가지, AB(A)B(C)의 순열 6가지
5. A역에서 출발하는 열차 2번, B역에서 출발하는 열차 0번, C역에서 출발하는 열차 1번인 시각표:
   AAC의 순열 3가지
6. A역에서 출발하는 열차 2번, B역에서 출발하는 열차 1번, C역에서 출발하는 열차 0번인 시각표:
   AAB(A)의 순열 3가지, AAB(C)의 순열 3가지
7. A역에서 출발하는 열차 3번 출발하는 경우;
   AAA의 순열 1가지
8. B역에서 출발하는 열차 3번 출발하는 경우;
   B(A)B(A)B(A)의 순열 1가지, B(A)B(A)B(C)의 순열 3가지, B(A)B(C)B(C)의 순열 3가지,
   B(C)B(C)B(C)의 순열 1가지
9. C역에서 출발하는 열차 3번 출발하는 경우;
   CCC의 순열 1가지
10. 각 역에서 한 번씩 출발하는 경우: A, B(A), B(C), C에서 각각 출발하므로
    AB(A)C의 순열 6가지, AB(C)C의 순열 6가지

따라서 가능한 모든 시각표는
총 (3+3)+(3+3+6)+3+(3+3+6)+3+(3+3)+1+(1+3+3+1)+1+(6+6)=64가지이다.

【3】 실수 x에 대해 $f^{(n)}(x+1)=f^{(n)}f(x)$ 을 보이면 된다. 그런데 정의에 의해 $f(x+1)=f(x)$이므로 $f^{(n)}(x+1)=f^{(n-1)}(f(x+1))=f^{(n-1)}(f(x))=f^{(n)}(x)$ 이다. 따라서 $f^{(n)}(x)$는 주기 1인 함수이다.

	$0 \le x < 1/3$	$1/3 \le x < 2/3$	$2/3 \le x < 1$
$f(x)$	2/3	1	4/3
$f^{(2)}(x)$	4/3	2/3	1
$f^{(3)}(x)$	2	4/3	2/3
$f^{(4)}(x)$	2/3	1	4/3
⋮	⋮	⋮	⋮

따라서 $f^{(n)}(1/2)=1$이 되는 자연수 n은 1, 4, 7, 10.⋯ 이다. 즉 3로 나눈 나머지가 1인 자연수 즉, $3m+1$ 여기서 m은 0, 1, 2, 3, ⋯

【4】 자연수 n에 대하여 구간 $[n+1/3, n+2/3]$에서 $f^{(2n+1)}(x)$는 항상 1이다. 따라서

$$a_{3n+1} = \int_{n+1/3}^{n+2/3} (n+1)f^{(3n+1)}(x)(x-n)^n dx$$
$$= (2/3)^{n+1} - (1/3)^{n+1}$$

이다. 그러므로

$$a_1 + a_3 + \cdots a_{2n+1} + \cdots = \sum_{n=0}^{\infty} 2/3^{n+1} - \sum_{n=0}^{\infty} (1/3)^{n+1}$$
$$= \frac{2/3}{1-2/3} - \frac{1/3}{1-1/3}$$
$$= 2 - 1/2$$
$$= 3/2$$

4. 2024학년도 서강대 모의 논술 2차

[문 제] 다음 제시문을 읽고 물음에 답하시오.

【1】 함수 $y = a\log_3(x-1) + b\log_5(5-x)$의 최댓값이 $x=3$에서 1이다 이때, a와 b를 구하시오.

【2】 두 곡선 $y = a\sin x$와 $y = \cos x$및 $x=0$과 $x=\frac{\pi}{2}$로 둘러싸인 도형에서 $a\sin x \ge \cos x$인 부분의 넓이가 0과 크거나 같고 10과 작거나 같을 때, 자연수 상수 a를 모두 구하시오. (단, $a \ge 1$)

【3】 점 $(a, 0)$을 지나는 직선이 곡선 $y=(10x-1)e^x$와 접한다고 가정한다. 서로 다른 두 개의 접선이 존재하지 않는 정수 a를 모두 구하시오.

【4】 검정말과 흰말이 만나게 될 때의 확률을 계산하시오.

【1】 로그함수의 정의로부터 $f(x) = a\log_3(x-1) + b\log_5(5-x)$는 구간 $1 < x < 5$에서 정의 되고 최댓값을 갖기 위해서는 위로 볼록한 그래프이다. 따라서 $a > 0$, $b > 0$이어야 한다. f는 미분가능 하므로 도함수를 이용한 최댓값-최솟값을 계산하고자 한다. $(\log_a x)' = \frac{1}{x\ln a}$이므로

$$f'(x)=\frac{a}{(x-1)\ln 3}-\frac{b}{(5-x)\ln 5}$$

$$=\frac{\alpha(5-x)-\beta(x-1)}{(x-1)(5-x)\ln 3\ln 5}.$$

(단. $\alpha=a\ln 5$, $\beta=b\ln 3$**) 임계값을 구하기 위해** $f'(x)=0$**을 풀면** $\alpha(5-x)-\beta(x-1)=0$**이고 주어진 조건으로부터** $x=\frac{5\alpha+\beta}{\alpha+\beta}=3$**에서** $1=f(3)=a\log_3 2+b\log_5 2$**이므로 두 식을 풀면**

$$\alpha=\beta\text{, 즉, } a=b\frac{\ln 3}{\ln 5}=b\log_5 3$$

그리고

$$b\log_5 3\log_3 2+b\log_5 2=1.$$

따라서

$$b=\frac{1}{\log_5 3\log_3 2+\log_5 2}=\log_4 5,\quad a=\frac{\log_5 3}{\log_5 3\log_3 2+\log_5 2}=\log_4 3.$$

[2] 구간 $\left(0,\ \frac{\pi}{2}\right)$**에서** $a\sin x$**와** $\cos x$**가 만나는** x**축의 값은** $\tan^{-1}\frac{1}{a}$**. 그러므로 면적은**

$$\int_{\tan^{-1}\frac{1}{a}}^{\frac{\pi}{2}} a\sin x-\cos x dx=a\cos\left(\tan^{-1}\frac{1}{a}\right)-\left(1-\sin\left(\tan^{-1}\frac{1}{a}\right)\right).$$

$\tan\theta_a=\frac{1}{a}$**라 두면,**

$\sin\theta_a=\frac{1}{\sqrt{a^2+1}}$, $\cos\theta_a=\frac{a}{\sqrt{a^2+1}}$**이므로 적분값은** $\frac{a^2}{\sqrt{a^2+1}}+\frac{1}{\sqrt{a^2+1}}-1$**이다.**

그런데 이 값은 폐구간 $[0,\ 10]$**안에 있어야 하므로** $1\le\sqrt{a^2+1}\le 11(1\le a^2+1\le 121)$.

따라서 가능한 자연수 a**는** 1, 2, 3, …, 10.

[3] 실수 t**에 대하여 점** $(t,\ (10t-1)e^t)$**에서 접선은 직선은**

$$y=(10e^t+(10t-1)e^t)(x-t)+(10t-1)e^t$$

이다. 이 직선은 $(a,\ 0)$**을 지나므로** $0=(10e^t+(10t-1)e^t)(a-t)+(10t-1)e^t$**을 만족한다.**

$e^t>0$**이므로 정리하면** $10t^2-(10a+1)t-9a+1=0$**이다. 모든** t**에 대해서 서로 다른 두 접선이 존재하지 않기 위한 조건은 판별식**

$$D=(10a+1)^2+4\cdot 10\cdot(9a-1)\le 0\ \text{(즉, } 100a^2+380a-39\le 0\text{)}.$$

$$a=\frac{-190\pm\sqrt{190^2+100\cdot 39}}{100}\approx -3.9,\ 0.1$$

따라서 만족하는 정수 a**는** -3, -2, -1, 0

[4] 두 말이 만날 수 있는 점은 (0, 3), (1, 2), (2, 1), (3, 0)**이다. 각 점에서 두 말이 만날 수 있는 확률을 계산하여 더하면 된다.**

곱의 법칙을 적용하면

(0, 3)**에서 만날 확률은** $\frac{1}{2^3}\cdot\frac{1}{2^3}$,

(1, 2)**에서 만날 확률은** $\frac{3}{2^3}\cdot\frac{3}{2^3}$,

(2, 1)**에서 만날 확률은** $\frac{3}{2^3}\cdot\frac{3}{2^3}$,

(3, 0)**에서 만날 확률은** $\frac{1}{2^3}\cdot\frac{1}{2^3}$**이다.**

합의 법칙을 적용하면 $\frac{20}{2^6}=\frac{5}{2^4}$.

5. 2023학년도 서강대 논술 기출 1차

【1－1】상자 속에 0부터 10까지의 정수 중 하나를 적은 종이가 여러 장 들어있고, 각 숫자가 적힌 종이의 개수는 동일하지 않을 수 있다. 상자에서 임의로 종이 한 장을 한 번 꺼낼 때, 꺼낸 종이에 적힌 숫자를 확률변수 X라 하자. X에 대한 확률질량함수가

$\mathrm{P}(X=i)=\frac{{}_{11-i}\mathrm{H}_i\times{}_{11-i}\mathrm{H}_i}{{}_d\mathrm{H}_{10}}$ $(i=0,\ 1,\ 2,\ \cdots,\ 10)$일 때, 자연수 d의 값을 구하시오.

【1－2】 문항 【1－1】의 상자에서 각 숫자가 적힌 종이의 개수를 조정하였다. 이 상자에서 임의로 종이 한 장을 한 번 꺼낼 때, 꺼낸 종이에 적힌 숫자를 확률변수 Y라 하자.

Y에 대한 확률질량함수가 $\mathrm{P}(Y=i)=\frac{{}_{21}\mathrm{C}_{2i+1}}{b}s^{20-2i}(1-s)^{2i+1}$ $(i=0,\ 1,\ 2,\ \cdots,\ 10)$일 때, b를 s에 대한 식으로 나타내시오. (단, s는 $0<s<1$을 만족하는 유리수)

【1－3】 숫자 0이 적힌 종이가 50장, 1이 적힌 종이가 50장 들어있는 상자에서 임의로 종이를 한 장 꺼내어 숫자를 확인하고 다시 집어넣는 시행을 10회 반복한다. 10회 시행 후 1이 적힌 종이를 꺼낸 횟수 i에 대한 상금 $g(i)$가 아래의 표와 같다고 할 때, 상금의 기댓값을 구하시오.

i	0	1	2	3	4	5	6	7	8	9	10
$g(i)$	2	1	5	7	17	31	65	127	257	511	1025

【1－4】 숫자 0이 적힌 종이가 90장, 1이 적힌 종이가 10장 들어있는 상자에서 임의로 종이를 한 장 꺼내어 숫자를 확인하고 다시 집어넣는 시행을 100회 반복한다. 100회 시행 후 1이 적힌 종이 를 꺼낸 횟수가 k번 이상이면 상금을 준다고 한다. 상금을 받을 확률이 23%이상이 되는 자연 수 k의 최댓값을 아래의 표준정규분포표를 이용하여 구하시오.

z	0	0.1	0.2	0.3	0.4	0.5	0.6	0.7	0.8	0.9	1.0
$\mathrm{P}(0\le Z\le z)$	0.0000	0.0398	0.0793	0.1179	0.1554	0.1915	0.2257	0.2580	0.2881	0.3159	0.3413

【1－1】

제시문 [다]에 의해 확률질량함수 $\mathrm{P}(X=i)=\frac{11-i\Pi_i x_{11-i}\Pi_i}{{}_d\mathrm{H}_{10}}$ $(i=0,\ 1,\ 2,\ \cdots,\ 10)$**의 합은** 1

이므로, $\frac{{}_{11}\mathrm{H}_0\times{}_{11}\mathrm{H}_0}{{}_d\mathrm{H}_{10}}+\frac{{}_{10}\mathrm{H}_1\times{}_{10}\mathrm{H}_1}{{}_d\mathrm{H}_{10}}+\cdots+\frac{{}_1\mathrm{H}_{10}\times{}_1\mathrm{H}_{10}}{{}_d\mathrm{H}_{10}}=1$**이고,**

제시문 [가]에 의해 ${}_{n}\mathrm{H}_{r} = {}_{n+r-1}\mathrm{C}_{r}$**이므로**

$$1 = \frac{{}_{10}\mathrm{C}_0 \times {}_{10}\mathrm{C}_0 + {}_{10}\mathrm{C}_1 \times {}_{10}\mathrm{C}_1 + \cdots + {}_{10}\mathrm{C}_{10} \times {}_{10}\mathrm{C}_{10}}{9+{}_{d}\mathrm{C}_{10}} = \frac{({}_{10}\mathrm{C}_0)^2 + ({}_{10}\mathrm{C}_1)^2 + \cdots + ({}_{10}\mathrm{C}_{10})^2}{9+{}_{d}\mathrm{C}_{10}}$$

이다.

따라서 $({}_{10}\mathrm{C}_0)^2 + ({}_{10}\mathrm{C}_1)^2 + \cdots + ({}_{10}\mathrm{C}_{10})^2 = {}_{9+d}\mathrm{C}_{10}$**이 성립한다.**

제시문 [나]에 의해 등식 $(1+x)^{10}(1+x)^{10} = (1+x)^{20}$**에서 좌변의** x^{10}**의 계수는**

$${}_{10}\mathrm{C}_0 \times {}_{10}\mathrm{C}_{10} + {}_{10}\mathrm{C}_1 \times {}_{10}\mathrm{C}_9 + \cdots + {}_{10}\mathrm{C}_{10} \times {}_{10}\mathrm{C}_0 = ({}_{10}\mathrm{C}_0)^2 + ({}_{10}\mathrm{C}_1)^2 + \cdots + ({}_{10}\mathrm{C}_{10})^2 = {}_{9+d}\mathrm{C}_{10}$$

이고, 우변의 x^{10}**의 계수는** ${}_{20}\mathrm{C}_{10}$**이다.**

좌변과 우변의 x^{10}**의 계수는 같으므로** $9+d=20$**이고,** $d=11$**이다.**

【1-2】

제시문 [다]에 의해 확률질량함수

$\mathrm{P}(Y=i) = \dfrac{{}_{21}\mathrm{C}_{2i+1}}{b} s^{20-2i}(1-s)^{2i+1}\ (i=0,\ 1,\ 2,\ \cdots,\ 10)$**의 합이** 1**이므로**

$$b = {}_{21}\mathrm{C}_1 s^{20}(1-s)^1 + {}_{21}\mathrm{C}_3 s^{18}(1-s)^3 + \cdots + {}_{21}\mathrm{C}_{21} s^0 (1-s)^{21}$$

이다. 우변의 각항의 s**와** $1-s$**의 차수의 합이** 21**로 일정하고,** $1-s$**의 차수가 모두 홀수이므로**

$$\begin{aligned} b &= {}_{21}\mathrm{C}_1 s^{20}(1-s)^1 + {}_{21}\mathrm{C}_3 s^{18}(1-s)^3 + \cdots + {}_{21}\mathrm{C}_{21} s^0 (1-s)^{21} \\ &= \frac{1}{2}\left\{{}_{21}\mathrm{C}_0 s^{21}(1-s)^0 + {}_{21}\mathrm{C}_1 s^{20}(1-s)^1 + \cdots + {}_{21}\mathrm{C}_{20} s^1(1-s)^{20} + {}_{21}\mathrm{C}_{21} s^0(1-s)^{21}\right\} \\ &\quad - \frac{1}{2}\left\{{}_{21}\mathrm{C}_0 s^{21}(1-s)^0 - {}_{21}\mathrm{C}_1 s^{20}(1-s)^1 + \cdots + {}_{21}\mathrm{C}_{20} s^1(1-s)^{20} - {}_{21}\mathrm{C}_{21} s^0(1-s)^{21}\right\} \end{aligned}$$

로 변형할 수 있고, 제시문 [나]에서

$n=21,\ a=s,\ b=1-s$**인 경우와**

$n=21,\ a=s,\ b=s-1$**인 경우의 이항정리를 이용하면**

$$b = \frac{1}{2}\{s+(1-s)\}^{21} - \frac{1}{2}\{s-(1-s)\}^{21} = \frac{1-(2s-1)^{21}}{2}$$

【1-3】 10**회 시행 후** 1**이 적힌 종이를 꺼낸 횟수** i**를 확률변수** X**라 하자.** 10**회의 독립시행에서** 1**이 나올 확률이** $\dfrac{1}{2}$**이므로, 확률변수** X**는 이항분포** $\mathrm{B}\left(10,\ \dfrac{1}{2}\right)$**을 따르고**

$$\mathrm{P}(X=i) = {}_{10}\mathrm{C}_i\left(\frac{1}{2}\right)^i\left(1-\frac{1}{2}\right)^{10-i} = \frac{{}_{10}\mathrm{C}_i}{2^{10}}\ (i=0,\ 1,\ 2,\ \cdots,\ 10)$$

이다. 상금의 기댓값을 r**라 하면 제시문 [라]에 의해**

$$\begin{aligned} r &= g(1)\mathrm{P}(X=1) + g(1)\mathrm{P}(X=1) + \cdots + g(10)\mathrm{P}(X=10) \\ &= \frac{1}{2^{10}}\left\{{}_{10}\mathrm{C}_0(2^0+1) + {}_{10}\mathrm{C}_1(2^1-1) + {}_{10}\mathrm{C}_3(2^2+1) + \cdots + {}_{10}\mathrm{C}_{10}(2^{10}+1)\right\} \\ &= \frac{1}{2^{10}}\left({}_{10}\mathrm{C}_0 2^0 + {}_{10}\mathrm{C}_1 2^1 + {}_{10}\mathrm{C}_2 2^2 + {}_{10}\mathrm{C}_3 2^3 + \cdots + {}_{10}\mathrm{C}_{10} 2^{10}\right) \\ &\quad + \frac{1}{2^{10}}\left({}_{10}\mathrm{C}_0 - {}_{10}\mathrm{C}_1 + {}_{10}\mathrm{C}_2 - {}_{10}\mathrm{C}_3 + \cdots + {}_{10}\mathrm{C}_{10}\right\} \end{aligned}$$

따라서 제시문 [나]의 이항정리를 이용하면

$$r=\frac{(1+2)^{10}+(1-1)^{10}}{2^{10}}=\frac{3^{10}}{2^{10}}=\frac{59049}{1024}$$

【1-4】 100회 시행 후 1이 적힌 종이를 꺼낸 횟수를 확률변수 X라 하자. 100회의 독립시행에서 1이 나올 확률이 $\frac{1}{10}$이므로, 확률변수 X는 이항분포 $\mathrm{B}\left(100,\ \frac{1}{10}\right)$을 따른다. 시행 횟수가 충분히 크므로 제시문 [마]에 의해 이항분포 $\mathrm{B}\left(100,\ \frac{1}{10}\right)$은 정규분포 $\mathrm{N}(10,\ 9)$로 근사할 수 있다. 그리고 $Z=\frac{X-10}{3}$이라 두면, Z는 표준정규분포를 따른다.

$\mathrm{P}(X\geq k)=\mathrm{P}\left(\frac{X-10}{3}\geq\frac{k-10}{3}\right)=\mathrm{P}\left(Z\geq\frac{k-10}{3}\right)$이므로 문항에 주어진 표준정규분포표에서 $\mathrm{P}\left(Z\geq\frac{k-10}{3}\right)\geq 0.23$을 만족하는 가장 큰 $\frac{k-10}{3}$의 값은 0.7이고, 이 경우 $k=12.1$이다. k는 자연수이므로, 12회 이상 1이 나올 확률은 0.23보다 크다는 것을 알 수 있다. 13회 이상 1이 나올 확률을 문항에 주어진 표준정규분포표를 이용해서 구해보면

$$\mathrm{P}(X\geq 13)=\mathrm{P}\left(Z\geq\frac{13-10}{3}\right)=\mathrm{P}(Z\geq 1)=0.1587$$

따라서 k의 최댓값은 12이다.

【2-1】 원점이 O인 좌표평면 위의 점 P의 좌표가 $(\cos t,\ \sin t)$이고, 점 Q의 좌표는 $(2\cos(t^2+t),\ 2\sin(t^2+t))$이다. 세 점 O, P, Q가 한 직선 위에 있지 않게 되는 실수 t에 대해서 함수 $S(t)$는 삼각형 OPQ의 넓이로 정의하고, 세 점 O, P, Q가 한 직선 위에 있는 t에 대해서는 $S(t)=0$이라고 정의한다. $-\sqrt{2\pi}<t<\sqrt{2\pi}$일 때, $S(t)$를 구하시오.

【2-2】 제시문 [나]를 이용하여, 위 문항 【2-1】에서의 함수 $S(t)$가 미분가능하지 않은 실수 t의 값을 모두 구하시오. (단, $-\sqrt{2\pi}<t<\sqrt{2\pi}$)

【2-3】 a가 1보다 큰 실수이고, 원점이 O인 좌표평면에서 곡선 $y=\frac{1}{x}$위의 한 점 $\mathrm{R}\left(a,\ \frac{1}{a}\right)$에 대하여 x축의 양의 방향과 반직선 OR이 이루는 각의 크기를 θ(라디안)라 하자. 점 R에서의 접선이 원 $x^2+y^2=\sqrt{3}$과 만날 때 θ의 범위를 구하시오.

【2-4】 위 문항 【2-3】의 점 R을 접점으로 하는 곡선 $y=\frac{1}{x}$의 접선이 원 $x^2+y^2=\sqrt{3}$과 서로 다른 두 점 A, B에서 만난다고 하자. 선분 AB의 길이를 θ의 함수 $l(\theta)$로 나타낼 때, 극한값 $\lim_{\theta\to 0+}\frac{\{l(\theta)\}^2-4\sqrt{3}}{\theta}$를 구하시오.

【2-1】

$\angle\mathrm{POQ}=t^2$이고, $\overline{OP}=1$, $\overline{OQ}=2$이다. $t^2=0$ 또는 $t^2=\pi$이면 $S(t)=0$이다. $0<t^2<\pi$일 때, 삼각형 OPQ의 $\angle\mathrm{O}$의 크기는 t^2이므로 제시문 [가]에 의해 $S(t)=\sin(t^2)$이다. $\pi<t^2<2\pi$일 때, 삼각형 OPQ의 $\angle\mathrm{O}$의 크기는 $2\pi-t^2$이므로 $S(t)=\sin(2\pi-t^2)=-\sin(t^2)$이다. 따라서 $S(t)=\left|\sin(t^2)\right|$이다.

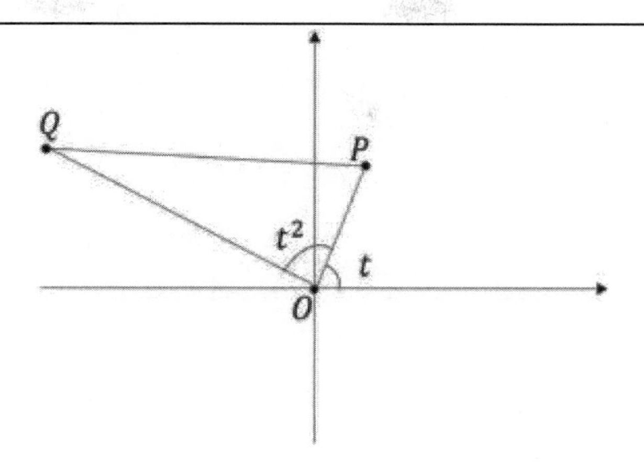

【2－2】

t가 $-\sqrt{\pi}<t<0$ 또는 $0<t<\sqrt{\pi}$일 때 $S(t)=\sin(t^2)$이므로, 미분가능한 두 함수 $\sin t$와 t^2의 합성함수인 $S(t)$는 미분가능하다.

t가 $-\sqrt{2\pi}<t<-\sqrt{\pi}$ 또는 $\sqrt{\pi}<t<\sqrt{2\pi}$일 때,

$S(t)=-\sin(t^2)$이므로, 미분가능한 두 함수 $-\sin t$와 t^2의 합성함수인 $S(t)$는 미분가능하다. 제시문 [나]와 [다]를 이용하여 $t=0$, $\pm\sqrt{\pi}$일 때 미분가능성을 조사한다. $t=0$일 때

$$\lim_{h\to 0}\frac{S(h)-S(0)}{h}=\lim_{h\to 0}\frac{1}{h}\left|\sin(h^2)\right|=\lim_{h\to 0}h\frac{\sin(h^2)}{h^2}=0$$

따라서, $S(t)$는 $t=0$에서 미분가능하다. $t=\sqrt{\pi}$일 때

$$\lim_{h\to 0}\frac{S(\sqrt{\pi}+h)-S(\sqrt{\pi})}{h}=\lim_{h\to 0}\frac{\left|\sin(\pi+2\sqrt{\pi}h+h^2)\right|}{h}=\lim_{h\to 0}\frac{\left|\sin(2\sqrt{\pi}h+h^2)\right|}{h}$$

이다. $h\to 0+$인 경우 $0<h(2\sqrt{\pi}+h)<\pi$이므로, 제시문 [다]에 의해

$$\lim_{h\to 0+}\frac{S(\sqrt{\pi}+h)-S(\sqrt{\pi})}{h}=\lim_{h\to 0+}\frac{\sin(2\sqrt{\pi}h+h^2)}{h}$$

$$=\lim_{h\to 0+}(2\sqrt{\pi}+h)\frac{\sin(2\sqrt{\pi}h+h^2)}{(2\sqrt{\pi}+h)h}=2\sqrt{\pi}$$

$h\to 0-$ 인 경우 $-\pi<h(2\sqrt{\pi}+h)<0$이므로, 제시문 [다]에 의해

$$\lim_{h\to 0-}\frac{S(\sqrt{\pi}+h)-S(\sqrt{\pi})}{h}=\lim_{h\to 0-}\frac{-\sin(2\sqrt{\pi}h+h^2)}{h}$$

$$=-\lim_{h\to 0-}(2\sqrt{\pi}+h)\frac{\sin(2\sqrt{\pi}h+h^2)}{(2\sqrt{\pi}+h)h}=-2\sqrt{\pi}$$

좌극한과 우극한이 다르므로 $S(t)$는 $t=\sqrt{\pi}$에서 미분가능하지 않다. 그리고 $S(t)=S(-t)$이므로 대칭에 의해 $S(t)$는 $t=-\sqrt{\pi}$에서 미분가능하지 않다.

【2－3】

직선 OR의 방정식은 $y=(\tan\theta)x$이고 곡선 $y=\frac{1}{x}$과의 교점이 $\mathrm{R}\left(a,\ \frac{1}{a}\right)$이므로 $a\tan\theta=\frac{1}{a}$를 만족하고 $a^2=\cot\theta$이다.

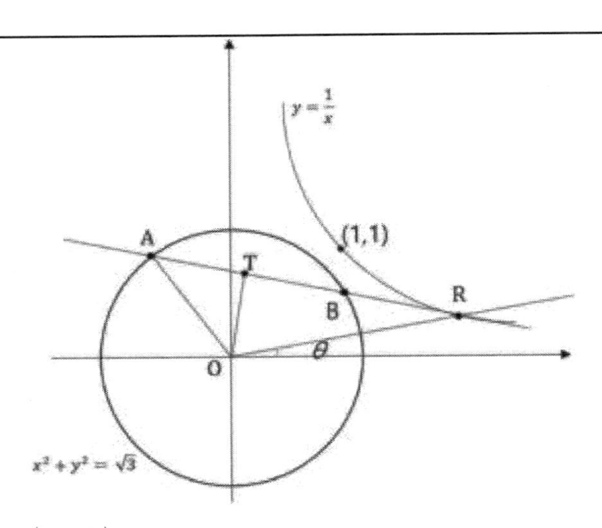

제시문 [나]에 의해, 점 $R\left(a,\ \frac{1}{a}\right)$**에서의 접선의 방정식은** $x+a^2y-2a=0$**이고 제시문 [라]에 의해 원점과 접선 사이의 거리는** $\frac{2a}{\sqrt{1+a^4}}$**가 된다. 이 거리가 원의 반지름** $3^{\frac{1}{4}}$**보다 작거나 같으면 접선과 원이 만나므로** a**는 부등식** $4a^2 \le \sqrt{3}(1+a^4)$**을 만족한다. 이 부등식은** a^2**에 관한 이차부등식이고 인수분해를 하면**

$$(\sqrt{3}a^2-1)(a^2-\sqrt{3}) \ge 0$$

을 만족하므로 $\cot\theta=a^2 \ge \sqrt{3}$ **또는** $\cot\theta=a^2 \le \frac{1}{\sqrt{3}}$**이다.** $a>1$**이므로** $\cot\theta>1$**이고** $0<\theta<\frac{\pi}{4}$**이다. 따라서** $\cot\theta \ge \sqrt{3}$**이고** $0<\theta \le \frac{\pi}{6}$**이다.**

【2－4】 문항 【2－3】의 풀이에서 접선 $x+a^2y-2a=0$**에 대하여 원점 O에서 내린 수선의 발을 T라 하면 선분 OT의 길이는 원점과 접선 사이의 거리** $\frac{2a}{\sqrt{1+a^4}}$**와 같다. 삼각형 OTA는 직각삼각형이므로 피타고라스 정리에 의해** $\left\{\frac{l(\theta)}{2}\right\}^2=\sqrt{3}-\left(\frac{2a}{\sqrt{1+a^4}}\right)^2$**이고**

$$\frac{\{l(\theta)\}^2-4\sqrt{3}}{\theta}=\frac{-16a^2}{(1+a^4)\theta}=\frac{-16\cot\theta}{(1+\cot^2\theta)\theta}=-16\frac{\sin\theta\cos\theta}{\theta}$$

따라서, $\lim_{\theta\to 0^+}\frac{\{l(\theta)\}^2-4\sqrt{3}}{\theta}=-16$**이다.**

6. 2023학년도 서강대 논술 기출 2차

【1－1】 아래 그림에서와 같이 좌표평면 위의 세 점 O(0, 0), A, B가 있고, 두 점 O, A를 지나는 직선과 두 점 A, B를 지나는 직선이 x축의 양의 방향과 이루는 각의 크기가 각각 $\alpha=\frac{\pi}{12}$, $\beta=\frac{\pi}{4}$라고 하자. 선분 OA와 선분 AB의 길이가 모두 1일 때, 두 점 O, B를 지나는 직선에 수직인 직선의 기울기를 구하시오.

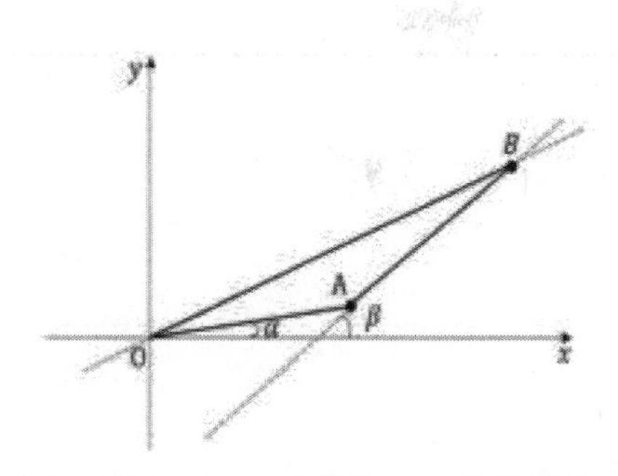

아래 그림에서와 같이 점 (1, 0)을 지나고 x축의 양의 방향과 이루는 각의 크기가 β(라디안) 인 직선 s가 있다. 이때, 중심이 $C(a, b)$인 원이 x축과 직선 s에 동시에 접한다. x축과의 접점을 P, 직선 s와의 접점을 Q라 하자. 아래 문항 【1－2】【1－4】에 답하시오. (단, $a < 1$, $b > 0$, $0 < \beta \leq \frac{\pi}{2}$)

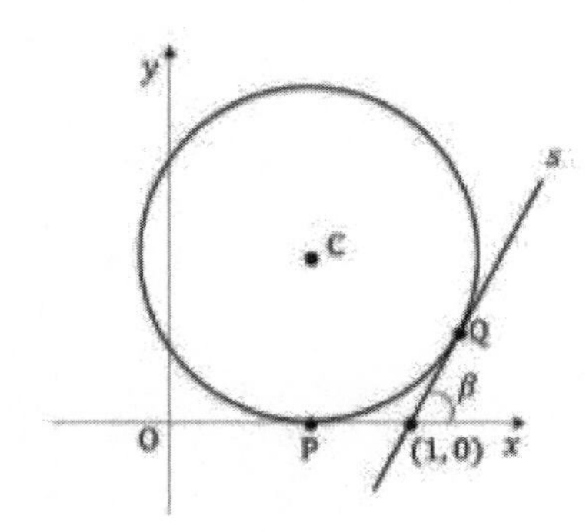

【1－2】 $\beta = \frac{\pi}{3}$일 때 위의 조건을 만족하는 원들의 중심을 모두 지나는 직선의 방정식을 구하시오. 그리고 이 직선의 방정식과 제시문 [가]를 이용하여 x축, 직선 s, $y = \frac{5}{12}x$로 이루어진 삼각형에 내접하는 원의 반지름을 구하시오.

【1－3】 $\beta = \frac{\pi}{3}$이고 P의 좌표가 $\left(\frac{n}{100}, 0\right)$이라 하자. 중심각의 크기가 π(라디안)보다 작은 부채꼴 CPQ에서 호 PQ의 길이 l_n과 $\sum_{n=1}^{99} l_n$을 구하시오. (단, 자연수 n의 범위는 $1 \leq n \leq 99$)

【1－4】 P의 좌표가 $\left(\frac{1}{4}, 0\right)$이라 하자. 중심각의 크기가 π(라디안)보다 작은 부채꼴 CPQ의 넓이를 $S(\beta)$라 할 때, $\lim_{\beta \to 0+} S(\beta)\tan\beta$의 값을 구하시오.

【1－1】

아래 그림에서와 같이 두 점 O, A를 지나는 직선이 두 점 A, B를 지나는 직선과 이루는 각 중 예각의 크기는 $\beta - \alpha$이므로 이등변삼각형 OAB의 두 밑각의 크기는 $\frac{\beta - \alpha}{2} = \frac{\pi}{12}$이다. 따라서 두 점 O, B를 지나는 직선과 x축의 양이 방향과 이루는 각의 크기는

$$\alpha + \frac{\beta - \alpha}{2} = \frac{\pi}{12} + \frac{\pi}{12} = \frac{\pi}{6}$$

이고, 이 직선에 수직인 직선의 기울기는 $\tan\left(\frac{\pi}{2} + \frac{\pi}{6}\right) = -\cot\frac{\pi}{6}$이므로 직선의 기울기는 $-\sqrt{3}$이다.

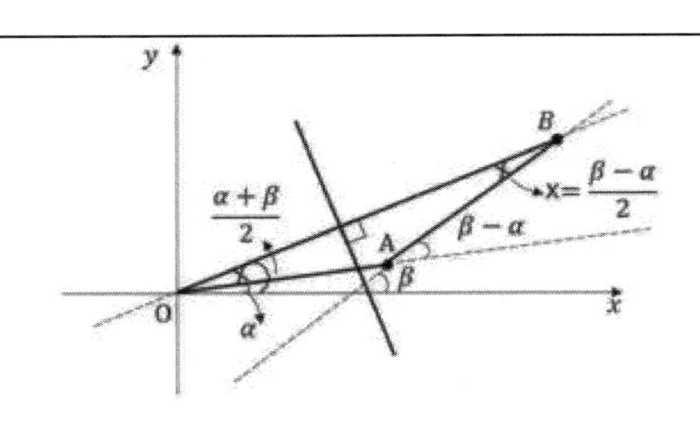

【1－2】

직선 s위에 있고 점 (1, 0)으로부터의 거리가 1인 1사분면 위의 점을 B라 하자. 그러면 두 점 C, (1, 0)을 지나는 직선과 두 점 O, B를 지나는 직선은 항상 수직임을 알 수 있다. 따라서 원들의 중심을 모두 지나는 직선의 기울기는 문항 【1－1】 풀이에서 $\alpha=0$, $\beta=\frac{\pi}{3}$인 경우이므로 $-\cot\frac{\pi}{6}=-\sqrt{3}$이다. 그리고 이 직선이 점 (1, 0)을 지나기 때문에 직선의 방정식은 $y=-\sqrt{3}(x-1)$이다. 원의 중심의 y좌표를 b라고 하면 원의 중심의 좌표는 $\left(1-\frac{b}{\sqrt{3}},\ b\right)$이고, 이 원의 중심과 직선 $5x-12y=0$의 거리는 제시문 [가]에 의해 $\frac{1}{13}\left|5\left(1-\frac{b}{\sqrt{3}}\right)-12b\right|$이다. 이 거리와 원의 반지름의 길이가 같을 때 직선이 원에 접하므로, $13b=\left|5\left(1-\frac{b}{\sqrt{3}}\right)-12b\right|$이다. $5\left(1-\frac{b}{\sqrt{3}}\right)-12b<0$이면 $b=\frac{25\sqrt{3}+15}{22}$이고 이때 원의 중심의 x좌표가 $a=1-\frac{b}{\sqrt{3}}=1-\frac{25\sqrt{3}+15}{22\sqrt{3}}<0$이므로 x축, 직선 s, $y=\frac{5}{12}x$로 이루어진 삼각형의 내접원이 될 수 없다. $5\left(1-\frac{b}{\sqrt{3}}\right)-12b>0$이면 $b=\frac{15-\sqrt{3}}{74}$이고 반지름의 길이는 $r=\frac{15-\sqrt{3}}{74}$이다. 따라서 x축, 직선 s, $y=\frac{5}{12}x$로 이루어진 삼각형에 내접하는 원의 반지름의 길이는 $r=\frac{15-\sqrt{3}}{74}$이다.

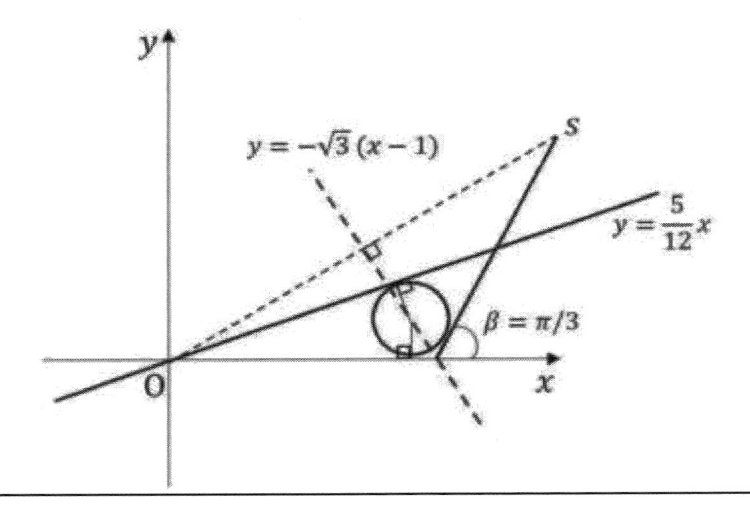

【1-3】

점 (1, 0)**을** A**라 하면 두 삼각형** CPA**와** CQA**는 합동인 직각삼각형이다. 따라서 원의 반지름의 길이를** r**라 하면,**

$r\tan\frac{\beta}{2} = r\tan\frac{\pi}{6} = 1 - \frac{n}{100}$ **이므로** $r = \sqrt{3}\left(1 - \frac{n}{100}\right)$**이다. 따라서 호** PQ**의 길이 는**

$l_n = r\theta = \frac{\sqrt{3}\pi}{3}\left(1 - \frac{n}{100}\right)$**이고**

$$\sum_{n=1}^{99} l_n = \sum_{n=1}^{99} \frac{\sqrt{3}\pi}{3}\left(1 - \frac{n}{100}\right) = \frac{\sqrt{3}\pi}{3}\left(99 - \sum_{n=1}^{99}\frac{n}{100}\right) = \frac{33\sqrt{3}\pi}{2}$$

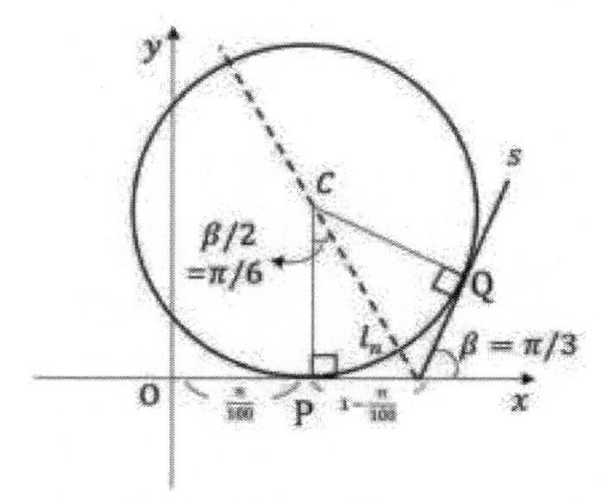

【1-4】 **문항** 【1-3】**의 풀이에서 원과** x**축과의 접점이** $(1-d,\ 0)$**일 때, 원의 반지름의 길이** $r = \frac{d}{\tan\frac{\beta}{2}}$**이므로 부채꼴** CPQ**의 넓이는** $S(\beta) = \frac{1}{2}r^2\beta = \frac{d^2\beta}{2\tan^2\frac{\beta}{2}}$**이다. 따라서, 제시문 [다]에 의해**

$$\lim_{\beta \to 0+} S(\beta)\tan\beta = \lim_{\beta \to 0+} \frac{d^2\beta}{2\tan^2\frac{\beta}{2}}\tan\beta = \lim_{\beta \to 0+} \frac{4d^2\left(\frac{\beta}{2}\right)^2}{2\tan^2\frac{\beta}{2}}\frac{\tan\beta}{\beta}$$

$$= \lim_{\beta \to 0+} \frac{4d^2\left(\frac{\beta}{2}\right)^2\cos^2\frac{\beta}{2}}{2\sin^2\frac{\beta}{2}}\frac{\sin\beta}{\beta\cos\beta} = 2d^2$$

$d = \frac{3}{4}$**이므로** $\lim_{\beta \to 0+} S(\beta)\tan\beta = \frac{9}{8}$**이다.**

【2-1】 실수 x에 대하여 두 점 $(0,\ 1)$, $(x,\ e^x)$사이의 거리를 $d(x)$라 하자. 극한 $\lim_{x \to 0}\frac{d(x)}{x}$의 수렴, 발산 여부를 조사하고, 수렴하면 그 극한값을 구하시오. (단, 무리수 $e = \lim_{x \to 0}(1+x)^{\frac{1}{x}}$)

두 실수 p, c는 $0 < p < 1$와 $c > 0$를 만족하고, 곡선 $y = x^p\ (x \geq 0)$위의 점 $(c,\ c^p)$에서의 접선의 방정식을 $y = l(x)$라 하자. 문항 【2-2】 ~ [2-4]에 답하시오.

【2-2】 $x \geq 0$일 때 부등식 $l(x) \geq x^p$이 성립함을 보이시오. 이 부등식과 제시문 [다]를 이용하여 두 함수 $y = x^p$, $y = l(x)$의 그래프의 개형을 한 평면에 그리시오.

【2-3】 $c>0$에 대하여 두 함수 $y=x^p$, $y=l(x)$의 그래프와 두 직선 $x=0$, $x=1$로 둘러싸인 도형의 넓이가 최소가 되는 c의 값을 구하시오. (단, 여기서 p는 부등식 $0<p<1$을 만족하는 고정된 실수)

【2-4】 $c=\frac{1}{e}$일 때 두 함수 $y=x^p$, $y=l(x)$의 그래프와 직선 $x=0$으로 둘러싸인 도형의 넓이를 $S(p)$, 두 함수 $y=x^p$, $y=l(x)$의 그래프와 직선 $x=1$으로 둘러싸인 도형의 넓이를 $R(p)$라 하자. 극한 $\lim_{p\to 0+}\frac{S(p)+R(p)}{S(p)}$의 수렴, 발산 여부를 조사하고, 수렴하면 그 극한값을 구하시오. (단, 무리수 $e=\lim_{x\to 0}(1+x)^{\frac{1}{x}}$)

【2-1】

함수 $d(x)=\sqrt{x^2+(e^x-1)^2}$**이고 무리수** e**의 정의로부터** $\lim_{x\to 0}\frac{e^x-1}{x}=1$**이다. 우극한을 구하면**

$$\lim_{x\to 0+}\frac{\sqrt{x^2+(e^x-1)^2}}{x}=\lim_{x\to 0+}\sqrt{\frac{x^2+(e^x-1)^2}{x^2}}=\lim_{x\to 0+}\sqrt{1+\left(\frac{e^x-1}{x}\right)^2}=\sqrt{2}$$

$x=-t$**로 치환하여 좌극한을 구하면**

$$\lim_{x\to 0-}\frac{d(x)}{x}=\lim_{x\to 0-}\frac{\sqrt{x^2+(e^x-1)^2}}{x}=\lim_{t\to 0+}\frac{\sqrt{t^2+(e^{-t}-1)^2}}{-t}$$

$$=-\lim_{t\to 0+}\sqrt{1+\left(\frac{e^{-t}-1}{-t}\right)^2}=-\sqrt{2}$$

우극한과 좌극한의 값이 다르므로 제시문 [가]에 의해 극한값은 존재하지 않는다.

【2-2】

$x>0$**일 때** $\frac{d}{dx}x^p=px^{p-1}$**이므로** $l(x)=pc^{p-1}(x-c)+c^p=pc^{p-1}x+(1-p)c^p$**이다.**

$f(x)=l(x)-x^p\,(x>0)$**라 하면** $f'(x)=p(c^{p-1}-x^{p-1})$**이고** $f(c)=f'(c)=0$**이다.**

$0<x<c$**일 때** $f'(x)<0$**이고** $x>c$**일 때** $f'(x)>0$**이므로,**

제시문 [나]에 의해 $f(x)$**는** $0<x<c$**일 때 감소,** $x>c$**일 때 증가한다.**

따라서 $x>0$**에서** $f(x)=l(x)-x^p\geq 0$**이다.** $x=0$**일 때** $l(0)=(1-p)c^p>0^p$**이므로** $x\geq 0$**에서 부등식이 성립한다.**

제시문 [다]를 바탕으로 함수 $y=x^p$**의 정의역 및 치역, 증감, 볼록, 극한을 조사한다.**

$\lim_{x\to\infty}x^p=\infty$**이므로 정의역과 치역은 모두** $[0,\ \infty)$**이다.**

$x>0$**일 때** $\frac{d}{dx}x^p=px^{p-1}>0$,

$\frac{d^2}{dx^2}x^p=p(p-1)x^{p-2}<0$**이므로**

함수 $y=x^p$**의 그래프는 증가하면서 위로 볼록이다. 그리고** $l(x)\geq x^p$**이므로 두 함수** $y=x^p$, $y=l(x)$**의 그래프의 개형을 그리면 그림과 같다.**

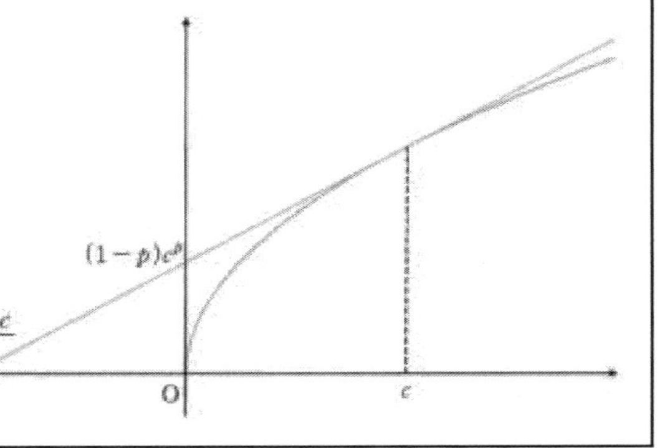

【2-3】

제시문 [라]와 문항 【2-2】의 부등식으로부터 도형의 넓이는

$$h(c)=\int_0^1\{pc^{p-1}x-(p-1)c^p-x^p\}dx=\frac{p}{2}c^{p-1}-(p-1)c^p-\frac{1}{p+1}$$

이다. $h(c)$**의 최솟값을 구하기 위해 함수** h**를 미분하면,**

$$h'(c)=\frac{p(p-1)}{2}c^{p-2}-p(p-1)c^{p-1}=p(p-1)c^{p-2}\left(\frac{1}{2}-c\right)$$

이므로 $h'\left(\frac{1}{2}\right)=0$**이고** $0<c<\frac{1}{2}$**일 때** $h'(c)<0$, $c>\frac{1}{2}$**일 때** $h'(c)>0$**이다. 따라서 제시문 [나]에 의해** $h(c)$**는** $0<c<\frac{1}{2}$**일 때 감소,** $c>\frac{1}{2}$**일 때 증가한다. 따라서** $c=\frac{1}{2}$**에서 넓이가 최소가 된다.**

【2-4】

문항【2-2】로부터 $0\le x<\frac{1}{e}$ **또는** $x>\frac{1}{e}$**일 때,** $l(x)>x^p$**이므로,** $S(p)$**와** $R(p)$**는 아래 그림의 도형 A와 B의 넓이가 된다.**

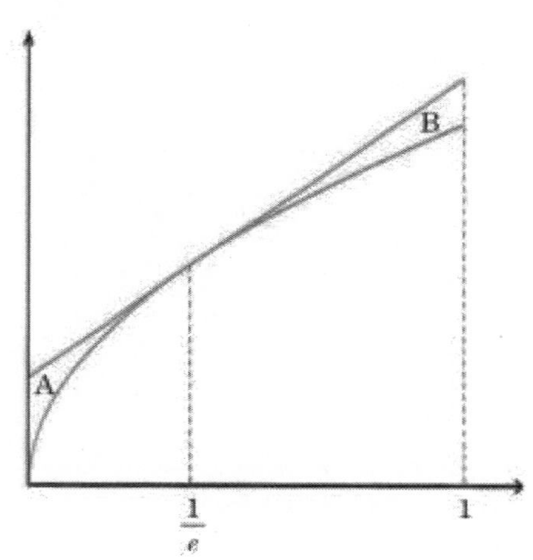

제시문 [라]에 의해

$$S(p)=\int_0^{\frac{1}{e}}p\left(\frac{1}{e}\right)^{p-1}x-(p-1)\left(\frac{1}{e}\right)^p-x^p dx$$

$$=\left\{\frac{p}{2}-(p-1)-\frac{1}{p+1}\right\}\left(\frac{1}{e}\right)^{p+1}=\frac{p(1-p)}{2(p+1)}\left(\frac{1}{e}\right)^{p+1}$$

문항【2-3】에 의해 $S(p)+R(p)=h\left(\frac{1}{e}\right)=\left(\frac{e}{2}p-p+1\right)\left(\frac{1}{e}\right)^p-\frac{1}{p+1}$ **이다. 따라서**

$$\frac{S(p)+R(p)}{S(p)}=\frac{e\{p^2(e-2)+ep+2(1-e^p)\}}{p(1-p)}=\frac{e}{1-p}\left\{p(e-2)+e-2\frac{e^p-1}{p}\right\}$$

$\lim_{p\to 0}\frac{e^p-1}{p}=1$**이므로** $\lim_{p\to 0+}\frac{S(p)+R(p)}{S(p)}=e^2-2e$**이다.**

7. 2023학년도 서강대 모의 논술 1차

【1】 직선 l과 점 P에서 접하고 x축과 접하는 두 원 중, 직선 l보다 아래에 있는 원의 반지름을 구하시오.

【2】 직선 l과 점 P에서 접하고 y축과 접하는 두 원 중, 직선 l보다 위에 있는 원의 반지름을 구하시오.

【3】 문제 【1－1】과【1－2】에서 구한 원의 반지름을 각각 $g(a)$, $h(a)$라 할 때, $f(x)=\dfrac{xh(x)}{g(x)}(x>0)$라 하자. 극한값 $\lim\limits_{x\to 0+}f(x)$와 $\lim\limits_{x\to\infty}f(x)$가 존재하는지 조사하고, 존재하면 극한값을 구하시오.

【4】 문제 【1－3】에서 주어진 함수 $f(x)$의 정의역이 열린구간 $(0,\ \infty)$일 때, $f(x)$의 치역을 구하시오.

[1] 접선 l이 x축과 만나는 점을 Q, x축의 양의 방향과 이루는 각을 θ라 하고, 원의 중심을 C라 하자. 그러면 구하는 원의 반지름은 $\overline{\mathrm{PC}}$가 된다. 제시문 [가]에 의해 접선 l의 방정식은 $y=2ax-a^2$이므로 점 Q는 $\left(\dfrac{a}{2},\ 0\right)$이고 $\tan\theta=2a$가 된다.

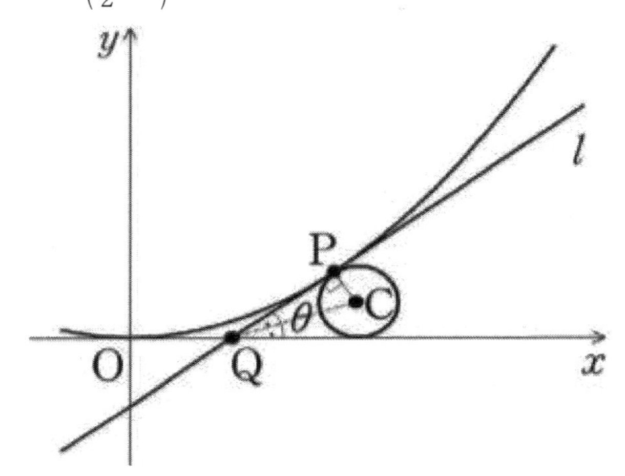

원과 접선의 기본 성질로부터 $\triangle$QPC는 직각삼각형이고 $\angle\mathrm{PQC}=\dfrac{\theta}{2}$임을 알 수 있다. 제시문 [나]에 의해 $2a=\tan\theta=\dfrac{2\tan\frac{\theta}{2}}{1-\tan^2\frac{\theta}{2}}$이므로 $a\tan^2\dfrac{\theta}{2}+\tan\dfrac{\theta}{2}-a=0$이 된다. $0<\dfrac{\theta}{2}<\dfrac{\pi}{4}$이므로 $\tan\dfrac{\theta}{2}=\dfrac{-1+\sqrt{1+4a^2}}{2a}$이다.

따라서 $\tan\dfrac{\theta}{2}=\dfrac{\overline{\mathrm{PC}}}{\overline{\mathrm{PQ}}}$이고 $\overline{\mathrm{PQ}}=\dfrac{a}{2}\sqrt{1+4a^2}$이므로, 원의 반지름은 $\overline{\mathrm{PC}}=\dfrac{1+4a^2-\sqrt{1+4a^2}}{4}$이다.

【2】 접선 l이 y축과 만나는 점을 Q′, y축의 양의 방향과 이루는 각을 α라 하고, 원의 중심을 C′라 하자. 그러면 구하는 원의 반지름은 $\overline{\mathrm{PC'}}$가 된다. 접선 l의 방정식은 $y=2ax-a^2$이므로 점 Q′는 $(0,\ -a^2)$이고 $\tan\alpha=\tan\left(\frac{\pi}{2}-\theta\right)=\frac{1}{2a}$가 된다.

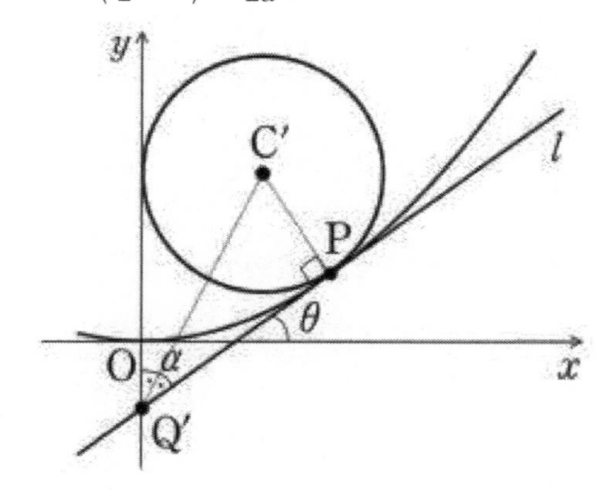

원과 접선의 기본 성질로부터 $\Delta \mathrm{Q'PC'}$는 직각삼각형이고 $\angle \mathrm{PQ'C'}=\frac{\alpha}{2}$임을 알 수 있다.

제시문 [나]에 의해 $\frac{1}{2a}=\tan\alpha=\dfrac{2\tan\frac{\alpha}{2}}{1-\tan^2\frac{\alpha}{2}}$이므로 $\tan^2\frac{\alpha}{2}+4a\tan\frac{\alpha}{2}-1=0$가 된다.

$0<\frac{\alpha}{2}<\frac{\pi}{4}$이므로 $\tan\frac{\alpha}{2}=-2a+\sqrt{1+4a^2}$이다. 따라서 $\tan\frac{\alpha}{2}=\dfrac{\overline{\mathrm{PC'}}}{\overline{\mathrm{PQ'}}}$이고 $\overline{\mathrm{PQ'}}=a\sqrt{1+4a^2}$이므로, 원의 반지름은 $\overline{\mathrm{PC'}}=a(1+4a^2)-2a^2\sqrt{1+4a^2}$이다.

【3】 $f(x)=\dfrac{4x\left[x(1+4x^2)-2x^2\sqrt{1+4x^2}\right]}{1+4x^2-\sqrt{1+4x^2}}=\dfrac{4x^2\left(\sqrt{1+4x^2}-2x\right)}{\sqrt{1+4x^2}-1}$이므로 분자, 분모에 $\left(\sqrt{1+4x^2}+2x\right)\left(\sqrt{1+4x^2}+1\right)$를 각각 곱하면,

$f(x)=\dfrac{\sqrt{1+4x^2}+1}{\sqrt{1+4x^2}+2x}=\dfrac{\sqrt{\frac{1}{x^2}+4}+\frac{1}{x}}{\sqrt{\frac{1}{x^2}+4}+2}\ (x>0)$이다. 따라서 제시문 [다]에 의해

$\lim\limits_{x\to 0+}f(x)=2,\ \lim\limits_{x\to\infty}f(x)=\frac{1}{2}$이다.

【4】 $\sqrt{1+4x^2}+1=t\ (x>0)$라 두면 $x=\dfrac{\sqrt{t^2-2t}}{2}\ (t>2)$이다. $F(t)=f\left(\dfrac{\sqrt{t^2-2t}}{2}\right)$라 두면,

$$F(t)=f\left(\frac{\sqrt{t^2-2t}}{2}\right)=\frac{t}{t-1+\sqrt{t^2-2t}}=\frac{1}{1-\frac{1}{t}+\sqrt{1-\frac{2}{t}}}\quad(t>2)$$

가 된다. 제시문 [라]에 의해, t에 관한 함수 $1-\frac{1}{t}$와 $1-\frac{2}{t}$는 $t>2$인 구간에서 증가하고, 함수

$F(t)$는 이 구간에서 감소한다. x에 관한 함수 $\sqrt{1+4x^2}+1$는 $x>0$인 구간에서 증가 하므로, 함수 $f(x)=F(\sqrt{1+4x^2}+1)$는 정의역인 $x>0$인 구간에서 감소한다.

함수 $f(x)$가 감소하므로, 임의의 $x_0>0$에 대하여 $2=\lim_{x\to 0+}f(x)>f(x_0)>\lim_{x\to\infty}f(x)=\frac{1}{2}$가 되어 함수 $f(x)$의 치역은 열린구간 $\left(\frac{1}{2},\ 2\right)$의 부분집합이 된다. 극한의 정의로부터 $\frac{1}{2}<k<2$인 임의의 값 k에 대하여 $\frac{1}{2}<f(b)<k<f(a)<2$가 되는 $0<a<b$가 존재함을 알 수 있다. 함수 $f(x)=\frac{\sqrt{1+4x^2}+1}{\sqrt{1+4x^2}+2x}$는 닫힌구간 $[a,\ b]$에서 연속이므로 제시문 [마]의 사잇값의 정리에 의해 $f(c)=k$가 되는 c가 a와 b사이에 존재한다. 따라서 함수 $f(x)$의 치역은 열린구간 $\left(\frac{1}{2},\ 2\right)$가 된다.

8. 2023학년도 서강대 모의 논술 2차

【1】 $n=4$일 때, 인사에 성공한 쌍의 수의 기댓값을 구하시오.

【2】 $n\geq 3$일 때, 인사에 성공한 쌍의 수의 기댓값을 구하시오.

【3】 모든 쌍이 인사에 성공할 확률을 구하시오.

【4】 $n\geq 4$일 때, 인사에 성공한 쌍의 수의 최댓값 m과 인사에 성공한 쌍의 수가 k일 확률을 구하시오. (단, $2\leq k\leq m$)

【1】 n=4일 인사를 하는 방법은 4가지 경우가 있고, 각각의 경우 인사에 성공한 쌍의 수는 다음과 같다.

	하나!	둘!	인사에 성공한 쌍의 수
경우 1	R L L L	R R R L	2
경우 2	R L R L	R R L L	3
경우 3	R R L L	R L R L	3
경우 4	R R R L	R L L L	2

따라서 인사에 성공한 쌍의 수의 기댓값은 $\frac{2+3+3+2}{4}=\frac{5}{2}$이다.

【2】 $n\geq 3$인 일반적인 경우에 인접한 두 사람이 인사에 성공하는 경우는 인접한 두 사람의 '하나!'에서의 인사 방향이 서로 반대인 경우(R L 또는 L R)이다. n명의 사람일 때 총 $n-1$개의 "인사 쌍"이 있다. 1번째와 $n-1$번째의 인사 쌍에서는 항상 1회 인사가 성공한다. 2번째부터 $n-2$번째 까지 인사 쌍에서의 인사 성공 여부를 조사하면 다음과 같다.

$(i=2,\ \cdots,\ n-2)$	하나!		둘!		i번째 인사 쌍에서 인사 성공여부
	사람 i	사람 $i+1$	사람 i	사람 $i+1$	
경우 1	R	R	L	L	실패
경우 2	R	L	L	R	1회 성공
경우 3	L	R	R	L	1회 성공
경우 4	L	L	R	R	실패

따라서 i번째 인사 쌍에서는 인사가 실패하거나 1회 성공하고, 성공할 확률은 $\frac{1}{2}$이다. 따라서 인사에 성공한 쌍의 개수의 기댓값은 $2+\sum_{i=2}^{n-2}1\cdot\frac{1}{2}=2+\frac{n-3}{2}=\frac{n+1}{2}$이다.

【3】 모든 사람이 서로 인사하려면 모든 인사 쌍에서 인사가 성공해야 한다. 각각의 인사 쌍에서 인사에 성공하는 사건은 독립이므로, 각각의 인사 쌍에서 인사에 성공할 확률을 모두 곱하면 $\left(\frac{1}{2}\right)^{n-3}$이다.

【4】 모든 인사 쌍에서 인사가 성공하면 인사에 성공한 쌍의 수가 최대가 되므로 $m=n-1$이다. 1번째와 $n-1$번째 인사 쌍에서 인사는 항상 성공하므로, 2번째부터 $n-2$번째 인사 쌍에서 $k-2$번 인사가 성공하면 된다. 각각의 인사 쌍에서 인사가 성공할 확률이 $\frac{1}{2}$로 동일하므로 이항분포를 따른다. 따라서 제시문 나에 의해 2번째부터 $n-2$번째 인사 쌍에서 $k-2$번 인사가 성공할 확률은 ${}_{n-3}\mathrm{C}_{k-2}\left(\frac{1}{2}\right)^{n-3}$이다.

9. 2022학년도 서강대 논술 기출 1차

【1－1】 어느 봉사 동아리에서 신입 회원을 모집했는데, 20명의 학생이 지원 서류를 제출하였다. 그중에서 4명의 남학생과 3명의 여학생은 자신의 성별을 밝혔으나, 나머지 13명은 성별을 밝히지 않았다. 그리고 성별을 밝히지 않은 학생이 남학생 또는 여학생일 확률은 각각 $\frac{1}{2}$로 같다. 20명의 신입회원 신청자들 중에서 여학생의 수를 확률변수 X라고 할 때, X의 확률질량함수와 분산을 구하시오.

【1－2】 이산확률변수 X가 자연수들로 이루어진 집합 $\{2n+1,\ 2n+2,\ 2n+3,\ \cdots,\ 4n\}$에서 임의로 선택된 숫자일 때, $\lim_{n\to\infty}2n\mathrm{E}\left(\frac{1}{X}\right)$을 구하시오.

【1－3】 한 개의 주사위를 던져 1, 2, 3이 나오면 동전 한 개를 던진다. 이때 앞면이 나오면 주사위에서 얻은 결과에 1을 더하고 뒷면이 나오면 2를 더한다. 한편, 4, 5, 6이 나오면 금화 6개와 은화 4개가 들어있는 주머니에서 임의로 두 개를 동시에 꺼내어 금화 두 개가 나오면 주사위에서 얻은 결과에서 1을 빼고 아니면 2를 뺀다. 이렇게 해서 얻어진 결과가 4이상일 때, 처음 던진 주사위의 눈이 짝수일 확률을 구하시오.

【1－4】 정상적인 동전의 한 면은 빨간색, 다른 면은 초록색이고 각 면이 나올 확률은 같다. 반면, 비정상적인 동전의 한 면은 빨간색, 다른 면은 파란색이고 빨간색 면이 나올 확률은 p이다. 두 개의 주머니 A와 B가 있다. 주머니 A에는 정상적인 동전과 비정상적인 동전이 한 개씩 들어있고, 주머니 B에는 정상적인 동전 한 개와 비정상적인 동전 두 개가 들어있다. 주머니 B에서 동전 한 개를 임의로 꺼내어 주머니 A에 넣은 후 주머니 A에서 두 개의 동전을 동시에 꺼내어 던졌다. 이때 같은 색의 면이 나올 확률이 $\frac{4}{9}$가 되게 하는 p의 값을 구하시오.

【1－1】 성별을 밝히지 않은 13명의 신청자 중에서 여학생의 수를 확률변수 Y라고 하면, Y는 이항분포 $\mathrm{B}\left(13,\ \frac{1}{2}\right)$을 따른다. 따라서, Y의 확률질량함수

$$\mathrm{P}(Y=y)={}_{13}\mathrm{C}_y\left(\frac{1}{2}\right)^y\left(\frac{1}{2}\right)^{13-y}={}_{13}\mathrm{C}_y\left(\frac{1}{2}\right)^{13}\quad(y=0,\ 1,\ 2,\ \cdots,\ 13)$$

이고 Y의 분산

$$\mathrm{V}(Y)=13\times\frac{1}{2}\times\frac{1}{2}=\frac{13}{4}$$

이다. $X=Y+3$이므로 X의 확률질량함수

$$\mathrm{P}(X=x)=\mathrm{P}(Y=x-3)={}_{13}\mathrm{C}_{x-3}\left(\frac{1}{2}\right)^{13}\quad(x=3,\ 4,\ 5,\ \cdots,\ 16)$$

이고 X의 분산

$$\mathrm{V}(X)=\mathrm{V}(Y+3)=\mathrm{V}(Y)=\frac{13}{4}$$

이다.

【1－2】 제시문 [나]에 의하여 $\mathrm{E}\left(\frac{1}{X}\right)=\sum_{k=1}^{2n}\frac{1}{2n}\frac{1}{2n+k}$이므로

$$\begin{aligned}2n\mathrm{E}\left(\frac{1}{X}\right)&=\frac{1}{2n+1}+\frac{1}{2n+2}+\frac{1}{2n+3}+\cdots+\frac{1}{4n}\\&=\sum_{k=1}^{n}\frac{1}{2n+k}+\sum_{k=1}^{n}\frac{1}{3n+k}\\&=\sum_{k=1}^{n}\frac{1}{2+\frac{k}{n}}\times\frac{1}{n}+\sum_{k=1}^{n}\frac{1}{3+\frac{k}{n}}\times\frac{1}{n}\end{aligned}$$

이다. 따라서, 제시문 [다]에 의하여

$$\begin{aligned}\lim_{n\to\infty}2n\mathrm{E}\left(\frac{1}{X}\right)&=\lim_{n\to\infty}\sum_{k=1}^{n}\frac{1}{2+\frac{k}{n}}\times\frac{1}{n}+\lim_{n\to\infty}\sum_{k=1}^{n}\frac{1}{3+\frac{k}{n}}\times\frac{1}{n}=\int_0^1\frac{1}{2+x}dx+\int_0^1\frac{1}{3+x}dx\\&=\ln(2+x)|_0^1+\ln(3+x)|_0^1=\ln3-\ln2+\ln4-\ln3=\ln\frac{4}{2}=\ln2\end{aligned}$$

이다.

【1－3】 주사위 던지기와 그 이후 실행은 서로 독립이므로 확률의 곱셈정리를 이용하여 각각의 사건이 일 어날 확률을 계산하면 다음과 같다.

주사위의 눈	1		2		3	
최종 결과	2	3	3	4	4	5
확률	$\frac{1}{6}\times\frac{1}{2}=\frac{1}{12}$	$\frac{1}{12}$	$\frac{1}{12}$	$\frac{1}{12}$	$\frac{1}{12}$	$\frac{1}{12}$

주사위의 눈	4		5		6	
최종 결과	3	2	4	3	5	4
확률	$\frac{1}{6}\times\frac{1}{3}=\frac{1}{18}$	$\frac{1}{6}\times\left(1-\frac{1}{3}\right)=\frac{1}{9}$	$\frac{1}{18}$	$\frac{1}{9}$	$\frac{1}{18}$	$\frac{1}{9}$

최종 결과가 4이상인 사건을 A라고 하면,

$$\mathrm{P}(A)=\frac{1}{12}+\frac{1}{12}+\frac{1}{12}+\frac{1}{18}+\frac{1}{18}+\frac{1}{9}=\frac{17}{36}$$

이다. 처음 던진 주사위의 눈이 짝수인 사건을 B라고 하면, 구하는 확률은

$$\mathrm{P}(B|A)=\frac{\mathrm{P}(A\cap B)}{\mathrm{P}(A)}=\frac{\frac{1}{12}+\frac{1}{18}+\frac{1}{9}}{\frac{17}{36}}=\frac{9}{17}$$

이다.

【1－4】 **주머니 A에 추가된 동전이 정상적인 동전일 확률은 $\frac{1}{3}$, 비정상적인 동전일 확률은 $\frac{2}{3}$이다.**

(i) 추가된 동전이 정상적인 동전인 경우:

주머니 A에는 정상적인 동전 2개, 비정상적인 동전 1개가 들어있다. 같은 색의 면이 나오려면,

① 정상적인 동전과 비정상적인 동전을 하나씩 꺼내서 던진 후 둘 다 빨간색 면이 나오거나

② 정상적인 동전 2개를 꺼내서 던진 후 둘 다 빨간색 면이 나오거나 둘 다 초록색 면이 나와야 한다. 따라서, 이 경우에 같은 색의 면이 나올 확률은

$$\frac{2}{3}\times\frac{1}{2}\times p+\frac{1}{3}\times\left(\frac{1}{2}\times\frac{1}{2}+\frac{1}{2}\times\frac{1}{2}\right)=\frac{1}{3}p+\frac{1}{6}$$

이다.

(ii) 추가된 동전이 비정상적인 동전인 경우:

주머니 A에는 정상적인 동전 1개, 비정상적인 동전 2개가 들어있다. 같은 색의 면이 나오려면,

① 정상적인 동전과 비정상적인 동전을 하나씩 꺼내서 던진 후 둘 다 빨간색 면이 나오거나

② 비정상적인 동전 2개를 꺼내서 던진 후 둘 다 빨간색 면이 나오거나 둘 다 파란색 면이 나와야 한다. 따라서, 이 경우에 같은 색의 면이 나올 확률은

$$\frac{2}{3}\times\frac{1}{2}\times p+\frac{1}{3}(p^2+(1-p)^2)=\frac{2}{3}p^2-\frac{1}{3}p+\frac{1}{3}$$

이다.

그러므로 같은 색의 면이 나올 확률이 $\frac{4}{9}$가 되려면

$$\frac{1}{3}\left(\frac{1}{3}p+\frac{1}{6}\right)+\frac{2}{3}\left(\frac{2}{3}p^2-\frac{1}{3}p+\frac{1}{3}\right)=\frac{4}{9}$$

를 만족해야 한다. 이를 정리하면 $8p^2-2p-3=0$, 즉 $(4p-3)(2p+1)=0$이다.

그러므로 구하는 확률 $p=\frac{3}{4}$이다.

【2－1】 제시문 [가]를 이용하여, 다음 부등식이 성립함을 보이시오.

$$(1+n)^{\frac{1}{n}}<1+\sqrt{\frac{2}{n-1}}\quad(\text{단, } n\text{은 1보다 큰 자연수})$$

【2－2】 제시문 [나]를 이용하여, 다음 부등식이 성립함을 보이시오.

$$\frac{1}{x+1}<\ln\left(1+\frac{1}{x}\right)<\frac{1}{\sqrt{x(x+1)}}\quad(\text{단, } x\text{는 양의 실수})$$

집합 $\{x|x>0\}$을 정의역으로 갖는 함수 $f(x)=\left(1+\frac{1}{x}\right)^x$에 대하여, 문항【2－3】~【2－5】에 답하시오.

【2－3】 함수 $f(x)$가 열린구간 $(0,\ \infty)$에서 증가함을 보이시오.

【2－4】 함수 $g(x)$를 다음과 같이 정의하자.

$$g(x)=\begin{cases} f\left(\dfrac{1}{n}\right) & \left(0<x\le 1,\ \text{단, } n\text{은 } \dfrac{1}{x}\text{의 정수부분}\right) \\ 3 & (x>1) \end{cases}$$

임의의 양의 실수 x에 대하여 $f(x)\le g(x)$임을 보이시오.

【2－5】문항 【2－1】 ~ 【2－4】를 이용하여, 함수 $y=f(x)$의 그래프의 개형을 그리시오.

【2－1】 1보다 큰 자연수 n에 대하여, $(1+n)^{\frac{1}{n}}<1+\sqrt{\dfrac{2}{n-1}}$ 의 양변이 양수이므로, 양변을 n제곱하여 얻게 되는 부등식

$$1+n<\left(1+\sqrt{\frac{2}{n-1}}\right)^n \cdots\cdots (1)$$

이 성립함을 보이면 된다. 제시문 [가]를 이용하여 (1)의 우변을 전개하면,

$$\left(1+\sqrt{\frac{2}{n-1}}\right)^n \cdots\cdots (2)$$

$${}_nC_0+{}_nC_1\left(\sqrt{\frac{2}{n-1}}\right)+{}_nC_2\left(\sqrt{\frac{2}{n-1}}\right)^2+\cdots+{}_nC_r\left(\sqrt{\frac{2}{n-1}}\right)^r+\cdots+{}_nC_n\left(\sqrt{\frac{2}{n-1}}\right)^n$$

을 얻게 된다. (2)의 우변의 각 항이 양수이므로,

$${}_nC_0+{}_nC_1\left(\sqrt{\frac{2}{n-1}}\right)+{}_nC_2\left(\sqrt{\frac{2}{n-1}}\right)^2+\cdots+{}_nC_r\left(\sqrt{\frac{2}{n-1}}\right)^r+\cdots+{}_nC_n\left(\sqrt{\frac{2}{n-1}}\right)^n$$
$$>{}_nC_0+{}_nC_2\left(\sqrt{\frac{2}{n-1}}\right)^2=1+\frac{n(n-1)}{2}\times\frac{2}{n-1}=1+n$$

이다. 따라서, 부등식

$$1+n<\left(1+\sqrt{\frac{2}{n-1}}\right)^n \quad (n\text{은 1보다 큰 자연수})$$

이 성립한다.

【2－2】 (i) 임의의 양의 실수 x에 대하여 $p(x)=\ln\left(1+\dfrac{1}{x}\right)-\dfrac{1}{x+1}$이라고 할 때, $p(x)>0$임을 보이자.

$$p'(x)=\frac{-\frac{1}{x^2}}{1+\frac{1}{x}}+\frac{1}{(x+1)^2}=-\frac{1}{x(x+1)}+\frac{1}{(x+1)^2}=-\frac{1}{x(x+1)^2}<0$$

이므로 제시문 [나]에 의하여 $p(x)$는 구간 $(0,\ \infty)$에서 감소한다. 또한,

$$\lim_{x\to\infty}p(x)=\lim_{x\to\infty}\ln\left(1+\frac{1}{x}\right)-\lim_{x\to\infty}\frac{1}{x+1}=0-0=0$$

이다. 따라서 $p(x)>0$이다.

(ii) 임의의 양의 실수 x에 대하여 $q(x)=\dfrac{1}{\sqrt{x(x+1)}}-\ln\left(1+\dfrac{1}{x}\right)$이라고 할 때, 위와 같은 방법으로 $q(x)>0$임을 보이자.

$$q'(x) = -\frac{2x+1}{2x(x+1)\sqrt{x(x+1)}} + \frac{1}{x(x+1)} = -\frac{(2x+1)-2\sqrt{x(x+1)}}{2x(x+1)\sqrt{x(x+1)}} < 0$$

이다. 여기서, $(2x+1)^2 - (2\sqrt{x(x+1)})^2 = 1 > 0$**이고** $2x+1 > 0$, $2\sqrt{x(x+1)} > 0$**이므로 분자가 양수임을 이용하였다. 그러므로 제시문 [나]에 의하여** $q(x)$**는 구간** $(0, \infty)$**에서 감소한다. 또한,**

$$\lim_{x \to \infty} q(x) = \lim_{x \to \infty} \frac{1}{\sqrt{x(x+1)}} - \lim_{x \to \infty} \ln\left(1 + \frac{1}{\mathrm{x}}\right) = 0 - 0 = 0$$

이다. 따라서 $q(x) > 0$**이다.**

그러므로 (i), (ii)에 의하여 주어진 부등식이 성립한다.

【2－3】 $x > 0$**이면** $f(x) = \left(1 + \frac{1}{x}\right)^x > 0$**이므로 자연로그를 취할 수 있다.** $f(x) = \left(1 + \frac{1}{x}\right)^x$**의 양변에 자연로그를 취하면** $\ln f(x) = x \ln\left(1 + \frac{1}{x}\right)$**이다. 양변을** x**에 대하여 미분하면**

$$\frac{f'(x)}{f(x)} = \ln\left(1 + \frac{1}{x}\right) + x \times \left(-\frac{1}{x(x+1)}\right) = \ln\left(1 + \frac{1}{x}\right) - \frac{1}{x+1}$$

이므로 문항 【2－2】에 의하여 $f'(x) = p(x)f(x) > 0$**이다. 따라서, 제시문 [나]에 의하여** $f(x)$**는 구간** $(0, \infty)$**에서 증가한다.**

【2－4】 **문항 【2－3】에 의하여** $f(x)$**가 열린구간** $(0, \infty)$**에서 증가하고**

$\lim_{x \to \infty} f(x) = \lim_{x \to \infty} \left(1 + \frac{1}{x}\right)^x = e$**이므로** $f(x) < e \ (x > 0)$**이다.**

따라서 $x > 1$**이면** $f(x) < e < 3 = g(x)$**이다.**

한편, $0 < x \le 1$**이면,** $\frac{1}{x} \ge 1$**이므로** $\frac{1}{x}$**의 정수 부분인** n**에 대하여** $1 \le n \le \frac{1}{x} < n+1$**을 만족한다. 따라서** $0 < x \le \frac{1}{n} \le 1$**이므로 문항 【2－3】과** $g(x)$**의 정의에 의하여** $f(x) \le f\left(\frac{1}{n}\right) = g(x)$**이다. 그러므로, 임의의 양의 실수** x**에 대하여** $f(x) \le g(x)$**이다.**

【2－5】 $\lim_{n \to \infty}\left(1 + \sqrt{\frac{2}{n-1}}\right) = 1$**이고 문항 【2－1】로부터**

$$1 < (1+n)^{\frac{1}{n}} < 1 + \sqrt{\frac{2}{n-1}} \ (n\text{은 1보다 큰 자연수})$$

이므로 제시문 [다]에 의하여 $\lim_{n \to \infty} (1+n)^{\frac{1}{n}} = 1$**이다. 따라서** $\lim_{x \to 0+} g(x) = 1$**이다.**

또한, $\lim_{x \to 0+} g(x) = 1$**이고 문항 【2－4】로부터** $1 < f(x) \le g(x) \ (x > 0)$**이므로 제시문 [다]에 의하여** $\lim_{x \to 0+} f(x) = 1$**이다.**

한편, 문항 【2－3】으로부터 $f'(x) = p(x)f(x)$**이므로,**

$$f''(x) = p'(x)f(x) + p(x)f'(x) = f(x)\left(p'(x) + p^2(x)\right)$$

이다. 또한,

$$p'(x)+p^2(x)=\frac{1}{(x+1)^2}-\frac{1}{x(x+1)}+\left\{\ln\left(1+\frac{1}{x}\right)-\frac{1}{x+1}\right\}^2$$

$$=\frac{2}{(x+1)^2}-\frac{1}{x(x+1)}-\frac{2}{x+1}\times\ln\left(1+\frac{1}{x}\right)+\left\{\ln\left(1+\frac{1}{x}\right)\right\}^2$$

$$=\frac{2}{x+1}\left\{\frac{1}{x+1}-\ln\left(1+\frac{1}{x}\right)\right\}$$
$$+\left\{\ln\left(1+\frac{1}{x}\right)+\frac{1}{\sqrt{x(x+1)}}\right\}\left\{\ln\left(1+\frac{1}{x}\right)-\frac{1}{\sqrt{x(x+1)}}\right\}$$

$$=-\frac{2}{x+1}\times p(x)-\left\{\ln\left(1+\frac{1}{x}\right)+\frac{1}{\sqrt{x(x+1)}}\right\}\times q(x)$$

이다. 문항 【2-2】로부터 $p(x)>0$**이고** $q(x)>0$**이므로** $p'(x)+p^2(x)<0$**이다. 따라서 구간** $(0,\ \infty)$**에서** $f''(x)<0$**이므로 곡선** $y=f(x)$**는 위로 볼록하며 변곡점은 존재하지 않는다.**

함수 $y=f(x)$**의 그래프의 개형을 그리기 위하여 제시문 [라]의 내용을 확인하면 다음과 같다.**

① 정의역: $\{x|x>0$**인 실수**$\}$, **치역:** $\{y|1<y<e$**인 실수**$\}$
② 좌표축과의 교점은 없다.
③ 열린구간 $(0,\ \infty)$**에서** $f(x)$**는 증가한다.**
$f(x)$**의 극값은 존재하지 않는다.**
곡선 $y=f(x)$**는 위로 볼록하며 변곡점은 존재하지 않는다.**
④ 점근선: $y=e$
따라서 함수 $y=f(x)$**의 그래프의 개형은 다음 그림과 같다.**

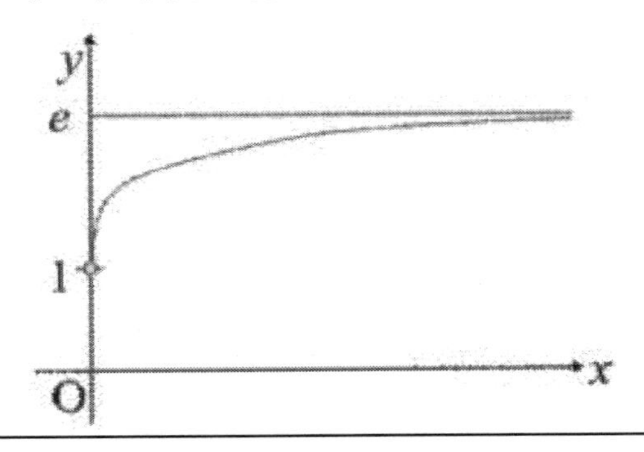

10. 2022학년도 서강대 논술 기출 2차

【1-1】 한국시리즈가 코로나 사태로 인하여 3번의 경기 중에서 2번을 먼저 이기는 팀이 최종우승하 는 방식으로 축소되었다. 한국시리즈에 진출한 두 팀 A와 B가 첫 경기를 진행하였는데 A팀 이 패하였다. 하지만 코로나 사태가 진정되어 이미 치러진 1차전을 포함하여 5번의 경기 중 에서 3번을 먼저 이기는 팀이 최종 우승하는 방식으로 되돌아가기로 결정하였다. A팀이 경기 마다 승리할 확률이 p일 때, 이러한 결정에도 불구하고 A팀이 최종 우승할 확률이 변하지 않을 p의 값을 구하시오. (단, $0<p<1$이고 두 팀이 비기는 경우는 없다.)

【1-2】 함수 $f(x)=\begin{cases} b-ae^{-2x} & (0<x<p) \\ ae^{2x} & (x \ge p) \end{cases}$가 열린구간 $(0, \infty)$에서 연속함수가 되기 위한 p의 값을 구하시오. (단, a, b는 $0<2a<b$를 만족하는 상수)

【1-3】 함수 $f:\left[0, \frac{1}{e}\right] \to [0, 1]$가 닫힌구간 $\left[0, \frac{1}{e}\right]$에서 연속이고 열린구간 $\left(0, \frac{1}{e}\right)$에서 미분 가능하며 $f(x)=xe^{f(x)}$를 만족할 때, 함수 f의 역함수가 존재함을 보이고 $\int_0^{\frac{1}{e}} f(x)dx$의 값을 구하시오.

【1-4】 열린구간 $(0, \infty)$에서 연속인 함수 $f(x)$가 $\int_1^2 f(x)dx=3$을 만족하고 모든 양의 실수 x에 대하여 $f(x)-2f(2x)=\frac{3}{x^4}$을 만족한다.

함수 $g(x)=\lim_{n \to \infty} 2^n f(2^n x)$에 대하여, $\int_1^2 g(x)dx$의 값을 구하시오.

【1-1】

(i) 3번의 경기 중에서 2번을 먼저 이기는 팀이 우승하는 방식에서, A팀이 우승하기 위해서는 남은 2경기를 모두 이겨야 하므로, 우승할 확률 $p_1=p^2$이다.

(ii) 5번의 경기 중에서 3번을 먼저 이기는 팀이 우승하는 방식을 고려하자.

① 4차전까지 진행되는 경우: 3경기를 모두 연달아 이겨야 하므로 확률은 p^3이다.

② 5차전까지 진행되는 경우: 마지막 경기는 반드시 이겨야 하고, 나머지 세 경기 중 한 번만 져야 하므로 확률은 $3p^3(1-p)$이다.

따라서, 이 방식에서 A팀이 우승할 확률 $p_2=p^3+3p^3(1-p)$이다.

A팀이 우승할 확률이 변하지 않으려면 $p_1=p_2$를 만족해야 하므로

$$p^2=p^3+3p^3(1-p),\ 즉 p^2(3p-1)(p-1)=0$$

이다. 따라서 조건 $0<p<1$로부터 $p=\frac{1}{3}$이다.

【1-2】

함수 $f(x)$가 열린 구간 $(0, \infty)$에서 연속이 되기 위해서는

$$b-ae^{-2p}=ae^{2p},\ 즉,\ ae^{4p}-be^{2p}+a=0$$

을 만족해야 한다. $X=e^{2p}$라고 하면,

$$aX^2-bX+a=0\ (X>1)$$

을 만족해야 한다. 따라서,

$$X=\frac{b \pm \sqrt{b^2-4a^2}}{2a} \text{ 이고 } X>1$$

이어야 한다.

(i) $b>2a>0$이므로 $\frac{b+\sqrt{b^2-4a^2}}{2a}>\frac{b}{2a}>1$이므로 $X=\frac{b+\sqrt{b^2-4a^2}}{2a}$는 해가 된다.

(ii) $\frac{b-\sqrt{b^2-4a^2}}{2a}$과 1의 대소관계를 알아보기 위하여 1에서 $\frac{b-\sqrt{b^2-4a^2}}{2a}$을 빼면

$$1-\frac{b-\sqrt{b^2-4a^2}}{2a}=\frac{\sqrt{b^2-4a^2}-(b-2a)}{2a}>0$$

이다. 여기서, $\sqrt{b^2-4a^2}>0$, $b-2a>0$이고

$$(b^2-4a^2)-(b-2a)^2=4ab-8a^2=4a(b-2a)>0$$

이므로 분자가 양수임을 이용하였다. 따라서 $\frac{b-\sqrt{b^2-4a^2}}{2a}<1$이 되어 $\frac{b-\sqrt{b^2-4a^2}}{2a}$는 해가 아니다.

그러므로 (i), (ii)에 의하여 $p=\frac{1}{2}\ln X=\frac{1}{2}\ln\left(\frac{b+\sqrt{b^2-4a^2}}{2a}\right)$이다.

【1－3】

$g(x)=xe^{-x}$에 대하여, $g(0)=0$, $g(1)=e^{-1}$이고 열린구간 (0, 1)에 속한 임의의 x에 대하여

$$g'(x)=(1-x)e^{-x}>0$$

이므로 $g(x)$는 닫힌구간 [0, 1]에서 증가함수가 되어 $g:[0,\ 1]\to\left[0,\ \frac{1}{\rho}\right]$는 일대일대응이다. 따라서 제시문 [나]에 의하여 g의 역함수 $g^{-1}:\left[0,\ \frac{1}{e}\right]\to[0,\ 1]$가 존재하며, $g^{-1}(x)=xe^{g^{-1}(x)}$를 만족한다. 한편, 함수 $f:\left[0,\ \frac{1}{e}\right]\to[0,\ 1]$가 정의역에 속하는 모든 x에 대하여 $f(x)=xe^{f(x)}$, 즉 $(g\circ f)(x)=x$를 만족하므로 $f(x)=g^{-1}(x)$이다. 그러므로 함수 f의 역함수가 존재하며 $f^{-1}(x)=g(x)=xe^{-x}$이다.

따라서 $\int_0^{\frac{1}{e}}f(x)dx+\int_0^1 g(x)dx$는 두 변의 길이가 1, $\frac{1}{e}$인 직사각형의 넓이와 같으므로

$$\int_0^{\frac{1}{e}}f(x)dx=\frac{1}{e}-\int_0^1 xe^{-x}dx=\frac{1}{e}-\left(-xe^{-x}\Big|_0^1+\int_0^1 e^{-x}dx\right)=\frac{1}{e}-\left(1-\frac{2}{e}\right)=\frac{3}{e}-1$$

이다.

【1－4】

주어진 항등식 $f(x)-2f(2x)=\frac{3}{x^4}$의 x대신 $2x$를 넣어서 얻은 등식에 2를 곱하면

$$2f(2x)-2^2f(2^2x)=\frac{3}{x^4}\times\frac{1}{8}$$

을 얻는다. 같은 방식으로 $2f(2x)-2^2f(2^2x)=\frac{3}{x^4}\times\frac{1}{8}$의 x대신 $2x$를 넣어서 얻은 등식에 2를 곱하면

$$2^2f(2^2x)-2^3f(2^3x)=\frac{3}{x^4}\times\left(\frac{1}{8}\right)^2$$

을 얻는다. 이를 반복하여 얻은 등식을 일렬로 나열하면

$$f(x)-2f(2x)=\frac{3}{x^4}$$
$$2f(2x)-2^2f(2^2x)=\frac{3}{x^4}\times\frac{1}{8}$$
$$2^2f(2^2x)-2^3f(2^3x)=\frac{3}{x^4}\times\left(\frac{1}{8}\right)^2$$
$$\vdots \quad \vdots$$
$$2^{n-1}f(2^{n-1}x)-2^nf(2^nx)=\frac{3}{x^4}\times\left(\frac{1}{8}\right)^{n-1}$$

이므로 좌변과 우변을 각각 더하면

$$f(x)-2^nf(2^nx)=\sum_{k=1}^{n}\frac{3}{x^4}\times\left(\frac{1}{8}\right)^{k-1}$$

이다. 제시문 [다]에 의하여 우변은 수렴하며 이 등비급수의 합은

$$\lim_{n\to\infty}\sum_{k=1}^{n}\frac{3}{x^4}\times\left(\frac{1}{8}\right)^{k-1}=\frac{24}{7x^4}$$

이다. 따라서

$$g(x)=\lim_{n\to\infty}2^nf(2^nx)=f(x)-\frac{24}{7x^4}$$

이므로

$$\int_1^2 g(x)dx=\int_1^2 f(x)dx-\int_1^2\frac{24}{7x^4}dx=3+\frac{8}{7x^3}\bigg|_1^2=3-1=2$$

이다.

【2－1】 함수 $f(x)$가 실수 전체의 집합에서 이계도함수를 가지며 $f(1)=f(2)=3$, $f(3)=5$일 때, $f'(a)=\frac{3}{2}$인 a와 $f''(b)>1$인 b가 모두 열린구간 $(1,\ 3)$에 존재함을 보이시오.

【2－2】 함수 $f(x)$가 실수 전체의 집합에서 연속이고, 모든 x에 대하여 $f(x+2)=f(x)$를 만족하며, $\int_1^3 f(x)dx=1$일 때, $\lim_{x\to\infty}\frac{1}{x}\int_{-x}^{x}f(t)dt$의 값을 구하시오.

함수 $f(x)=\frac{\sin x}{x}$에 대하여, 문항 【2－3】과 【2－4】에 답하시오.

【2－3】 함수 $f(x)$가 열린구간 $\left(0,\ \frac{\pi}{2}\right)$에서 감소함을 보이시오.

【2－4】 임의의 자연수 k에 대하여 $\lim_{x\to 0+}\int_x^{3x}\frac{(f(t))^k}{t}dt$의 값을 구하시오.

【2－1】

제시문 [나]의 평균값 정리에 의해서

$$f'(r)=\frac{f(2)-f(1)}{2-1}=\frac{3-3}{2-1}=0$$

을 만족하는 r이 열린구간 $(1,\ 2)$에 존재하며

$$f'(s)=\frac{f(3)-f(2)}{3-2}=\frac{5-3}{2-1}=2$$

를 만족하는 s**가 열린구간** $(2,\ 3)$**에 존재한다. 모든 실수** x**에 대해서 이계도함수** $f''(x)$**가 존재하므로** $f'(x)$**는 닫힌구간** $[r,\ s]$**에서 연속이다.**

$$f'(r)=0,\ f'(s)=2,\ 0<\frac{3}{2}<2$$

이므로 제시문 [가]에 주어진 사잇값 정리에 의하여 $f'(a)=\frac{3}{2}$**을 만족하는** a**가 열린구간** $(r,\ s)$**에 존재한다.**

또한 평균값 정리를 닫힌구간 $[r,\ s]$**와 미분가능한 함수** $f'(x)$**에 적용하면**

$$f''(b)=\frac{f'(s)-f'(r)}{s-r}=\frac{2}{s-r}$$

을 만족하는 b**가 열린구간** $(r,\ s)$**에 존재한다. 구간** $(r,\ s)$**는 구간** $(1,\ 3)$**에 포함되므로** $s-r<2$**가 성립 하고 따라서** $f''(b)>1$**이다.**

【2-2】

구간 $[2,\ \infty)$**에서 임의의** x**를 택하자.** $x=2n+c$**를 만족하는 자연수** n**과** $0\le c<2$**가 존재하므로**

$$\int_{-x}^{x}f(t)dt=\int_{-2n-c}^{2n+c}f(t)dt=\int_{-2n-c}^{-2n}f(t)dt+\int_{-2n}^{2n}f(t)dt+\int_{2n}^{2n+c}f(t)dt$$

이고, $f(x)$**가 모든** x**에 대하여** $f(x+2)=f(x)$**을 만족하므로**

$$\int_{-2n}^{2n}f(t)dt=2n\int_{0}^{2}f(t)dt\text{이고}\int_{2n}^{2n+c}f(t)dt=\int_{0}^{c}f(2n+t)dt=\int_{0}^{c}f(t)dt$$

이다.

$$\int_{0}^{2}f(x)dx=\int_{0}^{1}f(x)dx+\int_{1}^{2}f(x)dx=\int_{2}^{3}f(x)dx+\int_{1}^{2}f(x)dx=\int_{1}^{3}f(x)dx=1$$

이므로

$$\frac{1}{x}\int_{-x}^{x}f(t)dt=\frac{2n}{x}+\frac{1}{x}\int_{0}^{c}f(t)dt+\frac{1}{x}\int_{-c}^{0}f(t)dt$$

이다. 이때 $\frac{x-2}{x}\le\frac{2n}{x}\le1$**이고** $\lim_{x\to\infty}\frac{x-2}{x}=1$**이므로** $\lim_{x\to\infty}\frac{2n}{x}=1$**이다.**

이제, $\lim_{x\to\infty}\frac{1}{x}\int_{0}^{c}f(t)dt=0$**임을 보이자.** $c=0$**인 경우에는, 당연히 성립하므로** $0<c<2$**라 가정하자.**

함수 $|f(x)|$**가 닫힌구간** $[0,\ 2]$**에서 연속이므로 제시문 [다]의 최대 · 최소 정리에 의하여 함수** $|f(x)|$**는 최댓값을 갖는다. 최댓값을** M**이라고 하면, 구간** $[0,\ c]$**에 속하는 임의의** x**에 대하여** $-M\le f(x)\le M$**이 므로**

$$-2M\le-cM=\int_{0}^{c}(-M)dt\le\int_{0}^{c}f(t)dt\le\int_{0}^{c}Mdt=cM\le2M$$

이 성립한다. 이때 $-\frac{2M}{x} \leq \frac{1}{x}\int_0^c f(t)dt \leq \frac{2M}{x}$이고 $\lim_{x \to \infty}\frac{2M}{x}=0$이므로 $\lim_{x \to \infty}\frac{1}{x}\int_0^c f(t)dt=0$

이다. 마찬가지로 $\lim_{x \to \infty}\frac{1}{x}\int_{-c}^0 f(t)dt=0$이 성립한다. 그러므로, $\lim_{x \to \infty}\frac{1}{x}\int_{-x}^x f(t)dt=1$이다.

【$2-3$】

제시문 [라]로부터 $0<x<\frac{\pi}{2}$일 때 $\frac{1}{\tan x}<\frac{1}{x}<\frac{1}{\sin x}$이므로

$$\frac{\cos x}{\sin x}<\frac{1}{x},\ \text{즉}\ x\cos x-\sin x<0$$

이다. 따라서,

$$f'(x)=\frac{x\cos x-\sin x}{x^2}<0$$

이 성립하여 $f(x)$는 열린구간 $\left(0,\ \frac{\pi}{2}\right)$에서 감소한다.

【$2-4$】

제시문 [라]로부터 열린구간 $\left(0,\ \frac{\pi}{2}\right)$에서 $f(x)<1$이고, $\lim_{x \to 0+}f(x)=1$이다.

열린구간 $\left(0,\ \frac{\pi}{6}\right)$에서 임의의 x를 택하자. 문항 【$2-3$】에 의하여 $f(t)=\frac{\sin t}{t}$가 구간 $\left(0,\ \frac{\pi}{2}\right)$에서 감소하므로 $x \leq t \leq 3x$인 임의의 t에 대하여

$$\frac{\sin 3x}{3x} \leq \frac{\sin t}{t}<1$$

이다. 각 변을 k제곱하고 $\frac{1}{t}$를 곱하면

$$0<\left(\frac{\sin 3x}{3x}\right)^k\frac{1}{t} \leq \frac{\sin^k t}{t^{k+1}} \leq \frac{1}{t}$$

이다. 따라서 정적분과 곡선 및 x축 사이의 넓이의 관계를 이용하면

$$\left(\frac{\sin 3x}{3x}\right)^k\int_x^{3x}\frac{1}{t}dt=\int_x^{3x}\left(\frac{\sin 3x}{3x}\right)^k\frac{1}{t}dt \leq \int_x^{3x}\frac{\sin^k t}{t^{k+1}}dt \leq \int_x^{3x}\frac{1}{t}dt$$

이다. $\lim_{x \to 0+}\left(\frac{\sin 3x}{3x}\right)^k=1$이고 $\lim_{x \to 0+}\int_x^{3x}\frac{1}{t}dt=\ln 3$이므로

$$\lim_{x \to 0+}\int_x^{3x}\frac{(f(t))^k}{t}dt=\lim_{x \to 0+}\int_x^{3x}\frac{\sin^k t}{t^{k+1}}dt=\ln 3$$

이다.

11. 2022학년도 서강대 모의 논술 1차

[1] n보다 작거나 같은 자연수 k에 대하여 P_{k-1}과 P_k를 잇는 경로의 길이를 L_k라 할 때

$L_k=\sqrt{\frac{12}{n^2}k^2-\left(\frac{36}{n}+\frac{12}{n^2}\right)k+27+\frac{18}{n}+\frac{4}{n^2}}$ 임을 보이시오.

[2] 문항 [1-1]에서 정의한 L_k에 대하여, 극한값 $\lim_{n\to\infty}\sum_{k=1}^{n}\frac{L_k^2}{n}$을 구하시오.

[1-3] 두 점 P_0와 P_1을 잇는 경로 위의 점 중에서 밑면으로부터의 높이가 최대인 점을 Q_n이고 하고, 점 Q_n의 밑면으로부터의 높이를 h_n이라고 하자. h_n을 n에 대한 식으로 나타내고, 극한값 $\lim_{n\to\infty}h_n$을 구하시오.

[4] 원뿔의 꼭짓점을 O라고 하고 문항 [1-3]에서 정의한 점 Q_n과 높이 h_n에 대하여 $a_n=\overline{OQ_n}\times h_n^2$이라고 할 때, $n\ge 2$인 모든 자연수 n에 대하여 $a_n>a_{n+1}$임을 보이시오.

[1]

P_{k-1}과 P_k 사이의 최단 경로는 그림과 같이 원뿔의 옆면을 펼쳐서 생기는 부채꼴에서, 부채꼴을 이루는 서로 다른 반지름 위에 있는 P_{k-1}과 P_k를 선분으로 연결한 것이다. 이때, 부채꼴의 반지름의 길이는 원뿔의 모선의 길이와 같으므로 3이고, 호의 길이가 밑면의 원주인 2π와 같으므로 중심각은 $\frac{2\pi}{3}$이다.

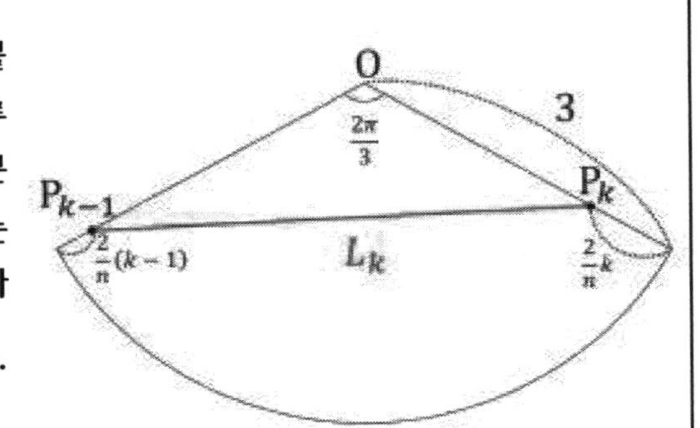

$\triangle OP_{k-1}P_k$에서 코사인법칙을 이용하면,

$$L_k^2=\left\{3-\frac{2}{n}(k-1)\right\}^2+\left(3-\frac{2}{n}k\right)^2-2\left\{3-\frac{2}{n}(k-1)\right\}\left(3-\frac{2}{n}k\right)\cos\left(\frac{2\pi}{3}\right)$$

$$=\frac{12}{n^2}k^2-\left(\frac{36}{n}+\frac{12}{n^2}\right)k+27+\frac{18}{n}+\frac{4}{n^2}$$

이므로 $L_k=\sqrt{\frac{12}{n^2}k^2-\left(\frac{36}{n}+\frac{12}{n^2}\right)k+27+\frac{18}{n}+\frac{4}{n^2}}$ **이다.**

[2]

$$\sum_{k=1}^{n}\frac{L_k^2}{n}=\frac{12}{n^3}\times\frac{n(n+1)(2n+1)}{6}-\left(\frac{36}{n^2}+\frac{12}{n^3}\right)\frac{n(n+1)}{2}+27+\frac{18}{n}+\frac{4}{n^2}$$ **이므로**

$\lim_{n\to\infty}\sum_{k=1}^{n}\frac{L_k^2}{n}=4-18+27=13$ **이다.**

[3]

부채꼴의 호 위의 임의의 점 R에 대하여 두 선분 OR과 P_0P_1의 교점을 Q라고 하자. 밑면으로부터의 높이는 $\frac{2\sqrt{2}}{3}\overline{QR}$이므로 $\overline{QR}$이 최대일 때, 즉, $\overline{OQ}$가 최소일 때, 높이가 최대가 된다. 따라서, 높이가 최대가 되게 하는 점 Q_n은 O에서 선분 P_0P_1에 내린 수선의 발이다.

$\overline{OQ_n} = b_n$ 이라고 놓자. 삼각형 OP_0P_1 의 넓이로부터 $\frac{1}{2}L_1 b_n = \frac{1}{2}\times 3\left(3-\frac{2}{n}\right)\times \sin\frac{2\pi}{3}$ 를 얻게 되어

$$b_n = \frac{3\sqrt{3}}{2L_1}\left(3-\frac{2}{n}\right) = \frac{3\sqrt{3}}{2}\left(3-\frac{2}{n}\right)\frac{n}{\sqrt{27n^2-18n+4}}$$

이다. 따라서,

$$h_n = \frac{2\sqrt{2}}{3}(3-b_n) = \frac{2\sqrt{2}}{3}\left\{3-\frac{3\sqrt{3}}{2}\left(3-\frac{2}{n}\right)\frac{n}{\sqrt{27n^2-18n+4}}\right\}$$

이고 $\lim_{n\to\infty} h_n = \frac{2\sqrt{2}}{3}\left(3-\frac{3\sqrt{3}}{2}\times\frac{3}{\sqrt{27}}\right) = \sqrt{2}$ 이다.

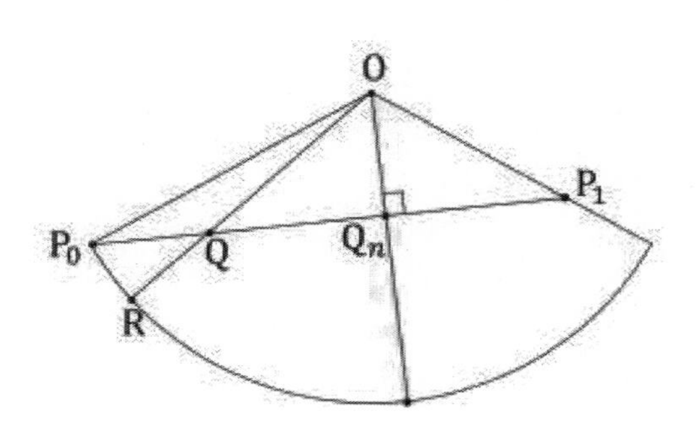

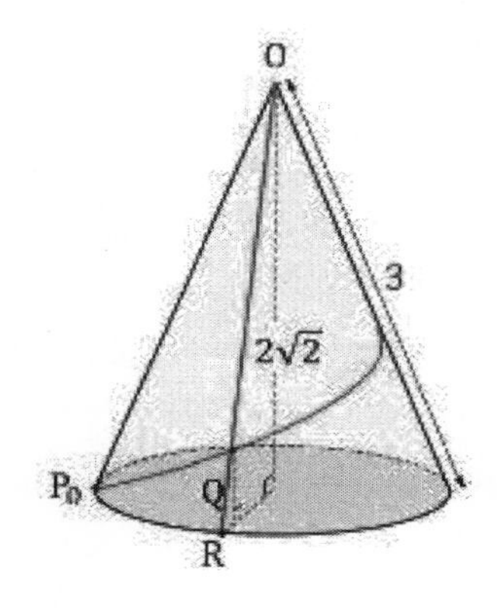

[4]

n 이 커지면 $\overline{OP_1}$ 가 길어지므로 $\angle OP_0P_1$ 이 커진다. 선분 AB를 n 등분했을 때, P_1 을 $P_1^{(n)}$ 으로 나타내면 $b_n = 3\sin\left(\angle OP_0P_1^{(n)}\right)$ 이다. $n \geq 2$ 인 모든 자연수 n 에 대하여, $0 < \angle OP_0P_1^{(n)} < \frac{\pi}{6}$ 이고 사인함수는 구간 $\left(0, \frac{\pi}{6}\right)$ 에서 증가한다. 따라서, $b_n < b_{n+1}$ 이다. 또한, $b_2 = \frac{3\sqrt{3}}{\sqrt{19}} > 1$ 이고 $\lim_{n\to\infty} b_n = \frac{3}{2}$ 이므로, $n \geq 2$ 인 모든 자연수 n 에 대하여 $b_n \in \left(1, \frac{3}{2}\right)$ 이다.

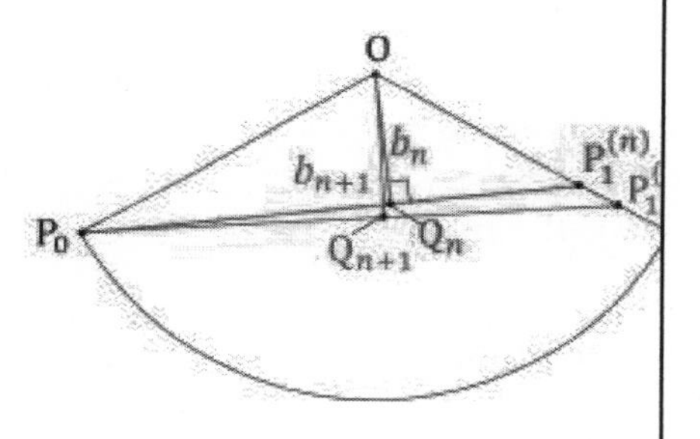

한편, $a_n = \frac{8}{9}b_n(3-b_n)^2$ 이므로, $f(x) = x(3-x)^2$ 이라고 하면 $a_n = \frac{8}{9}f(b_n)$ 이다. $f'(x) = 3(x-1)(x-3)$ 이므로, 구간 $\left(1, \frac{3}{2}\right)$ 에서 $f'(x) < 0$ 가 되어 f 는 감소한다. 따라서, $a_n > a_{n+1}$ 이다.

12. 2022학년도 서강대 모의 논술 2차

제시문 [가]-[라]를 참고하여 다음 물음에 답하시오.

[1] 함수 $f(x) = \sqrt{1+x}$ 에 제시문 [가]를 적용하여 $-1 < x < 0$ 일 때 부등식 $\sqrt{1+x} < 1 + \frac{x}{2}$ 이 성립함을 보이시오.

[2] 닫힌구간 $[a, b]$에서 연속이고 열린구간 (a, b)에서 미분가능한 함수 $f(x)$가 모든 $x \in (a, b)$에 대하여 $f(x) > 0$을 만족할 때, $\frac{1}{a-c} + \frac{1}{b-c} = \frac{f'(c)}{f(x)}$인 c가 열린구간 (a, b)에 적어도 하나 존재함을 보이시오.

[3] 적당한 다항함수 $g(x)$에 대하여 $f(x) = g(x)(\sin^2 x + 2\sin x)$로 표현되며 $\int_0^{2\pi} f(x)dx = -3$을 만족하는 임의의 함수 $f(x)$에 대하여 정적분 $\int_0^{2\pi} x(2\pi - x)f''(x)\,dx$의 값을 구하시오.

[4] 수열 $\{a_n\}$이 모든 자연수 n에 대하여 $a_n > 0$이고 $\lim_{n\to\infty} a_n = 0$일 때 극한값 $\lim_{n\to\infty} \frac{1}{n} \sum_{k=1}^{n} \sqrt{\frac{k}{n} + a_n}$을 구하시오.

[1]

$f(x) = \sqrt{1+x}$ **에 대하여 닫힌구간** $[a, b]$**에 제시문 [가]의 평균값 정리를 적용하면** $x < c < 0$ **인 적당한** c**가 존재하여**

$$\frac{1-\sqrt{1+x}}{-x} = \frac{f(0)-f(x)}{0-x} = f'(c) = \frac{1}{2\sqrt{1+x}} > \frac{1}{2}$$

가 성립하므로 $\sqrt{1+x} < 1 + \frac{x}{2}$**이다.**

[2]

$g(x) = (x-a)(x-b)f(x)$**라 놓으면** $g(x)$**는 닫힌구간** $[a, b]$**에서 연속이고 열린구간** (a, b)**에서 미분가능하며** $g(a) = g(b) = 0$**이다. 따라서 제시문 [가]의 평균값 정리에 의하여** $g'(c) = 0$**인** c**가 열린구간** (a, b)**에 존재한다.**

$$g'(x) = (x-a)f(x) + (x-b)f(x) + (x-a)(x-b)f'(x)$$

로부터 $0 = (c-a)f(c) + (c-b)f(c) + (c-a)(c-b)f'(c)$**를 얻는다. 등식의 양변을** $(c-a)(c-b)f(c)$**로 나누면**

$$\frac{1}{c-a} + \frac{1}{c-b} + \frac{f'(c)}{f(c)} = 0$$

이 성립하여

$$\frac{1}{a-c} + \frac{1}{b-c} = \frac{f'(c)}{f(c)}$$

을 얻는다.

[3]

$u = x(2\pi - x)$, $v' = f''$**이라 놓고 제시문 [나]의 부분적분을 사용하면**

$$\int_0^{2\pi} x(2\pi - x)f''(x)\,dx = [x(2\pi - x)f'(x)]_0^{2\pi} - \int_0^{2\pi} (2\pi - 2x)f'(x)\,dx$$
$$= -\int_0^{2\pi} (2\pi - 2x)f'(x)\,dx$$

이다. 다시 한번 부분적분을 하고 $f(0) = f(2\pi) = 0$**을 사용하면**

$$-\int_0^{2\pi} (2\pi - 2x)f'(x)\,dx = -[(2\pi - 2x)f(x)]_0^{2\pi} - 2\int_0^{2\pi} f(x)\,dx = -2\int_0^{2\pi} f(x)\,dx = 6$$

이다. 그러므로 $\int_0^{2\pi} x(2\pi - x)f''(x)dx = 6$ 이다.

[4]

$x,\ y > 0$ 에 대하여 $\sqrt{x+y} < \sqrt{x} + \sqrt{y}$ 이므로 주어진 자연수 n 에 대하여

$$\frac{1}{n}\sum_{k=1}^{n}\sqrt{\frac{k}{n}} \le \frac{1}{n}\sum_{k=1}^{n}\sqrt{\frac{k}{n}+a_n} \le \frac{1}{n}\left[\sum_{k=1}^{n}\left(\sqrt{\frac{k}{n}}+\sqrt{a_n}\right)\right]$$

이 성립한다. 제시문 [라]에 의하여

$\lim_{n\to\infty}\frac{1}{n}\sum_{k=1}^{n}\sqrt{\frac{k}{n}} = \int_0^1 \sqrt{x}\,dx = \frac{2}{3}$ 이고, $\lim_{n\to\infty}\frac{1}{n}\sum_{k=1}^{n}\sqrt{a_n} = \lim_{n\to\infty}\sqrt{a_n} = 0$ 이므로

$$\lim_{n\to\infty}\frac{1}{n}\sum_{k=1}^{n}\sqrt{\frac{k}{n}+a_n} \le \lim_{n\to\infty}\frac{1}{n}\left[\sum_{k=1}^{n}\left(\sqrt{\frac{k}{n}}+\sqrt{a_n}\right)\right] = \frac{2}{3}+0 = \frac{2}{3}$$

이다. 따라서 제시문 [다]에 의하여 $\lim_{n\to\infty}\frac{1}{n}\sum_{k=1}^{n}\sqrt{\frac{k}{n}+a_n} = \frac{2}{3}$ 이다.

13. 2021학년도 서강대 논술 기출 1차

함수 $f(x) = x - \sin x$에 대하여 제시문 [가], [나], [다]를 참고하여 다음 물음에 답하시오.

【1-1】 함수 $f(x)$가 닫힌구간 $[-\pi,\ \pi]$에서 증가함을 보이시오.

【1-2】 열린구간 $(-\pi,\ \pi)$의 각 실수 y에 대하여 $f(x) = y$인 열린구간 $(-\pi,\ \pi)$의 실수 x가 오직 하나씩 존재함을 보이시오.

문항 【1-2】에 의하여 열린구간 $(-\pi,\ \pi)$의 각 원소 y에 $f(x) = y$인 열린구간 $(-\pi,\ \pi)$의 원소 x를 대응시키는 함수 $g : (-\pi,\ \pi) \to (-\pi,\ \pi)$를 정의할 수 있다. 문항 【1-3】과 문항 【1-4】에 답하시오.

【1-3】 $-\pi < y < \pi$일 때, $g(-y) + g(y) = 0$임을 보이시오.

【1-4】 $-\pi < y < \pi$일 때, $|g(y)|^3 \ge 6|y|$임을 보이시오.

【1-1】

$-\pi < x < 0$일 때, $f'(x) = 1 - \cos x > 0$이다. 따라서 제시문 [나]에 의하여 함수 $f(x)$는 닫힌구간 $[-\pi,\ 0]$에서 증가한다. 또한 $0 < x < \pi$일 때, $f'(x) > 0$이므로 함수 $f(x)$는 닫힌구간 $[0,\ \pi]$에서 증가한다. 함수 $f(x)$가 각 구간 $[-\pi,\ 0]$과 $[0,\ \pi]$에서 증가하므로 전체 구간 $[-\pi,\ \pi]$에서 증가한다.

【1-2】

$-\pi < y < \pi$일 때, $f(-\pi) = -\pi$이고 $f(\pi) = \pi$이므로 $f(-\pi) < y < f(\pi)$이다. 제시문 [다]에 의하여 $f(x) = y$인 x가 열린구간 $(-\pi,\ \pi)$에 적어도 하나 존재한다. 문항 【1-1】의 결과에 의하여 함수 $f(x)$는 열린구간 $(-\pi,\ \pi)$에서 증가하므로 그와 같은 x는 오직 하나뿐이다.

【1-3】

$x = g(y)$라고 하면 $y = f(x) = x - \sin x$이므로 $f(-x) = -f(x) = -y$이다. 따라서 함수 g의 정의에 의해 $-x = g(-y)$이다. 그러므로 $-g(y) = -x = g(-y)$이다.

【1-4】

(i) $0 < y < \pi$일 때, $x = g(y)$라고 하면 $x > 0$이고 $y = f(x)$이므로

$|g(y)|^3 > 6|y| \Leftrightarrow x^3 > 6f(x) \Leftrightarrow x^3 > 6(x - \sin x)$**이다.**

그러므로 $0 < t < \pi$인 모든 t에 대하여 $t^3 > 6(t - \sin t)$를 증명하면 된다. 이를 위하여 함수 $h(t) = \dfrac{t^3}{6} - t + \sin t$를 생각하자. 이때 $h'(t) = \dfrac{t^2}{2} - 1 + \cos t$, $h''(t) = t - \sin t$이다.

$0 < t < \pi$일 때, $h''(t) = f(t) > 0$이므로 $h'(t)$가 닫힌구간 $[0, \pi]$에서 증가한다. 따라서 $0 < t < \pi$일 때, $h'(t) > h'(0) = 0$이다. 따라서 함수 $h(t)$가 닫힌구간 $[0, \pi]$에서 증가한다.

그러므로 $0 < t < \pi$일 때, $h(t) > h(0) = 0$이다. 즉, $t^3 > 6(t - \sin t)$이므로 $g(y)^3 > 6y$이다.

(ii) $y = 0$일 때, $g(0) = 0$이므로 당연히 성립한다.

(iii) $-\pi < y < 0$이면 $0 < -y < \pi$이므로 문항 【1-3】과 (i)에 의해서

$$|g(y)|^3 = |-g(y)|^3 = |g(-y)|^3 > 6|-y| = 6|y|$$

그러므로 (i), (ii), (iii)에 의해서 열린구간 $(-\pi, \pi)$의 모든 y에 대하여 $|g(y)|^3 \geq 6|y|$가 성립한다.

제시문 [가], [나], [다]를 참고하여 다음 물음에 답하시오.

【2-1】 m이 자연수일 때, 방정식 $2x + y + z + w = 2m$의 음이 아닌 정수해의 개수를 구하시오.

$n \geq 5$인 자연수 n에 대하여 1부터 n까지의 자연수에서 서로 다른 세 수를 택하려고 한다. 문항 【2-2】, 【2-3】, 【2-4】에 답하시오.

【2-2】 k가 $1 \leq k \leq n-4$인 자연수라고 하자. 연속인 두 수가 포함되지 않고 가장 작은 수가 k가 되도록 서로 다른 세 수를 택하는 방법의 수를 구하시오. (단, 연속인 두 수란 a, $a+1$꼴의 두 정수 를 말한다.)

【2-3】 연속인 두 수가 포함되지 않도록 서로 다른 세 수를 택하는 방법의 수를 구하시오.

【2-4】 n이 $n \geq 5$인 짝수라고 하자. 연속인 두 수가 포함되지 않도록 서로 다른 세 수를 택했다고 할 때, 이 중에서 가장 작은 수가 짝수일 확률을 구하시오.

【2-1】

먼저 x의 값을 정하자. $x = i\,(0 \leq i \leq m)$일 때, 방정식 $y + z + w = 2m - 2i$의 음이 아닌 정수해의 개수는 제시문 [다]에 의해 ${}_3\mathrm{H}_{2m-2i}$이다. 제시문 [나]에 의해

$${}_3\mathrm{H}_{2m-2i} = {}_{3+(2m-2i)-1}\mathrm{C}_{2m-2i} = {}_{2m-2i+2}\mathrm{C}_2$$

이므로, 구하는 정수해의 개수는

$${}_{2m+2}\mathrm{C}_2 + {}_{2m}\mathrm{C}_2 + \cdots + {}_4\mathrm{C}_2 + {}_2\mathrm{C}_2 = \sum_{i=1}^{m+1} {}_{2i}\mathrm{C}_2$$

이다. 등식 ${}_{2i}\mathrm{C}_2 = \dfrac{2i(2i-1)}{2}$을 이용하면 위 합은

$$\sum_{i=1}^{m+1}(2i^2 - i) = \frac{2(m+1)(m+2)(2m+3)}{6} - \frac{(m+1)(m+2)}{2} = \frac{(m+1)(m+2)(4m+3)}{6}$$

【2-2】

연속인 두 수가 포함되지 않고 가장 작은 수가 k가 되도록 세 수를 택하려면, 먼저 k를 뽑고 $k+2$부터 n까지의 $(n-k-1)$개의 자연수에서 연속이 아닌 서로 다른 두 수를 택하면 된다. 이렇

게 택하는 방법의 수는 1부터 $(n-k-1)$까지의 자연수에서 연속이 아닌 서로 다른 두 수를 택하는 방법의 수와 같음은 자명하다.

1부터 $(n-k-1)$까지의 자연수에서 연속이 아닌 서로 다른 두 수는 제시문 [나]의 중복조합을 조합으로 변환시키는 방법을 활용하여 쉽게 구할 수 있다. 1부터 $(n-k-3)$까지의 자연수에서 중복조합 i, j $(1 \le i \le j \le n-k-3)$를 택하는 경우, 연속이 아닌 두 수의 조합으로 나타내기 위하여 첫 번째와 두 번째 수에 각각 0, 2를 더하면 i, $(j+2)$를 얻는다. 이것은 1부터 $(n-k-1)$까지의 자연수에서 연속이 아닌 두 수를 택한 조합이다. 1부터 $(n-k-1)$까지의 자연수에서 연속이 아닌 서로 다른 두 수는 모두 이와 같은 방식 으로 얻을 수 있으므로 구하는 방법의 수는 ${}_{n-k-3}H_2 = {}_{n-k-2}C_2$이다.

【2－3】

제시문 [나]의 중복조합을 조합으로 변환시키는 방법을 활용하여 1부터 n까지의 자연수에 서 연속인 두 수가 포함되지 않도록 서로 다른 세 수를 택할 수 있다.

1부터 $n-4$까지의 자연수에서 중복조합 a, b, c $(1 \le a \le b \le c \le n-4)$를 택하는 경우, 연속인 두 수를 포함하지 않는 서로 다른 세 수의 조합으로 나타내기 위하여 각 경우의 첫 번째, 두 번째, 세 번째 수에 각각 0, 2, 4를 더하면 a, $(b+2)$, $(c+4)$를 얻는다. 이것은 1부터 n까지의 자연수에서 연속하는 두 수가 포함되지 않도록 3개를 택한 조합이다. 1부 터 n까지의 자연수에서 연속인 두 수를 포함하지 않는 서로 다른 세 수는 이와 같은 방법 으로 모두 얻을 수 있으므로 구하는 방법의 수는 ${}_{n-4}H_3 = {}_{n-2}C_3$이다.

【2－4】

문항 【2－2】의 풀이에서 연속인 두 수가 포함되지 않고 가장 작은 수가 k가 되도록 서 로 다른 세 수를 택하는 방법의 수는 ${}_{n-k-2}C_2$임을 보였다. $k=2,\ 4,\ \cdots,\ n-4$에 대하여 이 값을 모두 더하면 연속인 두 수가 포함되지 않고 가장 작은 수가 짝수가 되도록 서 로 다른 세 수를 택하는 방법의 수를 구할 수 있다. $n=2m$이라고 놓으면 구하는 방법의 수는

$${}_2C_2 + {}_4C_2 + \cdots + {}_{n-6}C_2 + {}_{n-4}C_2 = \sum_{i=1}^{m-2} {}_{2i}C_2$$

이다. $m' = m-3$이라고 치환하면 $\sum_{i=1}^{m-2} {}_{2i}C_2 = \sum_{i=1}^{m'+1} {}_{2i}C_2$이므로 【2－1】의 풀이에 의 하여 이 값은

$$\frac{(m'+1)(m'+2)(4m'+3)}{6} = \frac{(m-2)(m-1)(4m-9)}{6} = \frac{(n-4)(n-2)(2n-9)}{24}$$

【2－3】의 결과를 이용하면 구하는 조건부 확률은

$$\frac{\dfrac{(n-2)(n-4)(2n-9)}{24}}{\dfrac{(n-2)(n-3)(n-4)}{6}} = \frac{2n-9}{4(n-3)}$$

14. 2021학년도 서강대 논술 기출 2차

이 도시에 거주하는 사람을 임의로 한 명 선택하여 바이러스 감염 여부를 한 번 검사한다. 제시문을 참고하여 다음 물음에 답하시오.

【1－1】 양성 반응이 나타날 확률을 구하시오.

【1－2】 음성 반응이 나타났을 때, 실제로 감염되었을 확률을 구하시오.

【1－3】 총 비용을 확률변수 X라고 할 때, X의 기댓값 $E(X)$를 구하시오.

【1－4】 M은 3보다 큰 상수이고 $r\alpha = 4(1-r)\beta$라고 가정하자. $\frac{1}{p}+\frac{1}{q}=M$을 만족하는 p와 q에 대하여 기댓값 $E(X)$가 최소가 되도록 하는 p와 q의 값을 구하시오.

【1－1】

어떤 사람이 바이러스에 감염된 사건을 A, 바이러스 검사에서 양성 반응이 나타나는 사건을 B라 하자. 바이러스 검사에서 양성 반응이 나타날 확률은

$P(B)=P(A\cap B)+P(A^c\cap B)=P(A)P(B|A)+P(A^c)P(B|A^c)$**이므로**

$$P(B)=r(1-p)+(1-r)q$$

【1－2】

바이러스 검사에서 음성 반응이 나타났을 때, 실제로는 바이러스에 감염되었을 확률은

$$\text{조건부확률}\quad P(A|B^c)=\frac{P(A)P(B^c|A)}{P(B^c)}$$

이다.

$$P(B^c)=P(A\cap B^c)+P(A^c\cap B^c)=P(A)P(B^c|A)+P(A^c)P(B^c|A^c)$$

이므로

$$P(A|B^c)=\frac{rp}{rp+(1-r)(1-q)}$$

【1－3】

확률변수 X가 1, $\alpha+1$, $\beta+1$일 확률은 각각 아래와 같다.

(가) $P(X=1)$**은 검사받은 사람이 감염자이고 결과가 양성이거나 검사받은 사람이 비감염자이고 결과가 음성일 확률이므로**

$$\begin{aligned}P(X=1)&=P(A\cap B)+P(A^c\cap B^c)\\&=P(A)P(B|A)+P(A^c)P(B^c|A^c)\\&=r(1-p)+(1-r)(1-q)\end{aligned}$$

(나) $P(X=\alpha+1)$**은 검사받은 사람이 감염자이고 결과가 음성일 확률이므로**

$$P(X=\alpha+1)=P(A\cap B^c)=P(A)P(B^c|A)=rp$$

(다) $P(X=\beta+1)$**은 검사받은 사람이 비감염자이고 결과가 양성일 확률이므로**

$$P(X=\beta+1)=P(A^c\cap B)=P(A^c)P(B|A^c)=(1-r)q$$

이를 정리하면

X	1	$\alpha+1$	$\beta+1$	계
$P(X=x)$	$r(1-p)+(1-r)(1-q)$	rp	$(1-r)q$	1

이다. 따라서

$$\begin{aligned}E(X)&=\{r(1-p)+(1-r)(1-q)\}+(\alpha+1)rp+(\beta+1)(1-r)q\\&=r\alpha p+(1-r)\beta q+1\end{aligned}$$

이다.

【1－4】

$r\alpha = 4(1-r)\beta$를 **이용하면** $E(X) = (1-r)\beta(4p+q)+1$**이다.**

$\frac{1}{p}+\frac{1}{q}=M$**이므로** $0 < q = \frac{p}{Mp-1} < 1$**을 대입하여** $E(X)$**를** p**의 함수로 표현하면,**

$\frac{1}{M-1} < p < 1$**이고**

$$E(X) = (1-r)\beta\left(4p+\frac{p}{Mp-1}\right)$$

이다. $(1-r)\beta > 0$**이므로** $h(p) = 4p+\frac{p}{Mp-1}$**를 최소로 하는** p**를 구하자.**

$h'(p) = 4-\frac{1}{(Mp-1)^2} = 0$**을 만족하는** p**를 찾으면** $Mp-1 = \pm\frac{1}{2}$**이고** $Mp-1>0$**이므로**

$p = \frac{3}{2M}$**이다.**

이때, $M>3$**이므로** $\frac{1}{M-1} < p = \frac{3}{2M} < 1$**이다. 또한** $h''(p) = \frac{2M}{(Mp-1)^3} > 0$**이므로 함수** $h(p)$**는 구간** $\left(\frac{1}{M-1},\ 1\right)$**에서 아래로 볼록하다. 따라서** $p = \frac{3}{2M}$**에서 함수** $h(p)$**가 최소가 된다.**

(또는 $h'(p) = \frac{4\left(p-\frac{1}{2M}\right)\left(p-\frac{3}{2M}\right)}{\left(p-\frac{1}{M}\right)^2}$**이므로** $\left(\frac{1}{M-1},\ \frac{3}{2M}\right)$**에서** $h'(p)<0$**이고** $\left(\frac{3}{2M},\ 1\right)$**에서** $h'(p)>0$**이다. 따라서** $p=\frac{3}{2M}$**에서 함수** $h(p)$**가 최소가 된다.)**

그러므로 $E(X)$**를 최소로 하는** p**와** q**는** $p=\frac{3}{2M}$, $q=\frac{3}{M}$**이다.**

제시문 [가], [나], [다], [라]를 이용하여 문항【2－1】과 문항【2－2】에 답하시오.

【2－1】 함수 $f(x)$, $g(x)$가 닫힌구간 $[a,\ b]$에서 연속일 때, 열린구간 $(a,\ b)$의 모든 x에 대하여 $f(x)<g(x)$이면 다음 부등식이 성립함을 보이시오.

$$\int_a^b f(x)dx < \int_a^b g(x)dx$$

【2－2】 함수 $f(x)$가 구간 $[1,\ \infty)$에서 연속이고 증가할 때, 모든 자연수 n에 대하여 다음 부등식이 성립함을 보이시오.

$$f(1)+\int_1^n f(x)dx \le \sum_{k=1}^{n} f(k) < \int_1^{n+1} f(x)dx$$

문항【2－2】의 결과와 제시문 [마]를 이용하여 문항【2－3】과 문항【2－4】에 답하시오.

【2－3】 p가 자연수일 때, 다음 극한값을 구하시오.

$$\lim_{n\to\infty}\frac{1}{n^{p+1}}\sum_{k=1}^{n}k^p$$

【2－4】 다음 극한값을 구하시오.

$$\lim_{n\to\infty}\frac{1}{\sqrt{n}}\sum_{k=1}^{n}\frac{1}{\sqrt{k}}$$

【2－1】

함수 $f(x)$, $g(x)$의 한 부정적분을 각각 $F(x)$, $G(x)$라고 하고, $H(x)=G(x)-F(x)$라고 놓자. 그러면 함수 $H(x)$는 닫힌구간 $[a, b]$에서 연속이고 열린구간 (a, b)의 모든 x에 대하여

$$H'(x)=G'(x)-F'(x)=g(x)-f(x)>0$$

이다. 따라서 제시문 [나]에 의하여 함수 $H(x)$가 닫힌구간 $[a, b]$에서 증가한다. 그러므로 제시문 [다]를 이용하면

$$\int_a^b g(x)dx-\int_a^b f(x)dx=[G(b)-G(a)]-[F(b)-F(a)]=H(b)-H(a)>0$$

이므로

$$\int_a^b f(x)dx<\int_a^b g(x)dx$$

이다.

(마지막 부분의 다른 풀이) $H(x)$가 함수 $g(x)-f(x)$의 한 부정적분이므로

$$\int_a^b g(x)dx-\int_a^b f(x)dx=\int_a^b \{g(x)-f(x)\}dx=H(b)-H(a)>0$$

【2－2】

k가 임의의 자연수라고 할 때, 함수 $f(x)$가 닫힌구간 $[k, k+1]$에서 증가하므로 열린구간 $(k, k+1)$의 모든 x에 대하여 $f(k)<f(x)<f(k+1)$이다. 따라서 문항 【2－1】의 결과에 의하여

$$f(k)=\int_k^{k+1} f(k)dx<\int_k^{k+1} f(x)dx<\int_k^{k+1} f(k+1)dx=f(k+1)$$

이다. 임의의 자연수 n에 대하여 $k=1, 2, \cdots, n$일 때의 부등식을 모두 더하면, 제시문 [라]에 의하여

$$\sum_{k=1}^{n} f(k)<\sum_{k=1}^{n}\int_k^{k+1} f(x)dx=\int_1^{n+1} f(x)dx<\sum_{k=1}^{n} f(k+1)=\sum_{k=1}^{n+1} f(k)-f(1)$$

이므로

$$\sum_{k=1}^{n} f(k)<\int_1^{n+1} f(x)dx$$

이고

$$f(1)+\int_1^{n+1} f(x)dx<\sum_{k=1}^{n+1} f(k)$$

이다. 그러므로 문제의 두 부등식 중에서 오른쪽 부등식은 모든 자연수 n에 대하여 성립하고, 왼쪽 부등식은 $n\geq 2$일 때 성립한다. 또한 $n=1$일 때는 왼쪽 부등식이 등식으로 성립한다.

【2－3】

자연수 p에 대하여 함수 $f(x)=x^p$은 구간 $[1, \infty)$에서 연속이고 증가한다. 따라서 문항 【2－2】의 결과에 의하여, 모든 자연수 n에 대하여

$$\frac{n^{p+1}+p}{p+1}=1+\int_1^n x^p dx\leq\sum_{k=1}^{n} k^p<\int_1^{n+1} x^p dx=\frac{(n+1)^{p+1}-1}{p+1}$$

이므로

$$\frac{1}{p+1}\left(1+\frac{p}{n^{p+1}}\right) \le \frac{1}{n^{p+1}}\sum_{k=1}^{n} k^p < \frac{1}{p+1}\left\{\left(1+\frac{1}{n}\right)^{p+1} - \frac{1}{n^{p+1}}\right\}$$

이다. 그런데

$$\lim_{n\to\infty}\frac{1}{n^{p+1}} = 0 \textbf{이고, } \lim_{n\to\infty}\left(1+\frac{1}{n}\right)^{p+1} = 1$$

이므로 제시문 [마]에 의하여

$$\lim_{n\to\infty}\frac{1}{n^{p+1}}\sum_{k=1}^{n} k^p = \frac{1}{p+1}$$

【2-4】

함수 $f(x) = -\frac{1}{\sqrt{x}}$**은 구간** $[1, \infty)$**에서 연속이고 증가한다. 따라서 문항**【2-2】**의 결과에 의하여, 모든 자연수** n**에 대하여**

$$(-1) + \int_1^n \left(-\frac{1}{\sqrt{x}}\right)dx \le \sum_{k=1}^{n}\left(-\frac{1}{\sqrt{k}}\right) < \int_1^{n+1}\left(-\frac{1}{\sqrt{x}}\right)dx$$

이고

$$2(\sqrt{n+1}-1) = \int_1^{n+1}\frac{1}{\sqrt{x}}dx < \sum_{k=1}^{n}\frac{1}{\sqrt{k}} \le 1 + \int_1^n \frac{1}{\sqrt{x}}dx = 2\sqrt{n}-1$$

이므로

$$2\left(\sqrt{1+\frac{1}{n}} - \frac{1}{\sqrt{n}}\right) < \frac{1}{\sqrt{n}}\sum_{k=1}^{n}\frac{1}{\sqrt{k}} \le 2 - \frac{1}{\sqrt{n}}$$

이다. 따라서 제시문 [마]에 의하여

$$\lim_{n\to\infty}\frac{1}{\sqrt{n}}\sum_{k=1}^{n}\frac{1}{\sqrt{k}} = 2$$

15. 2021학년도 서강대 모의 논술 1차

1. a가 양의 실수일 때 모든 자연수 n에 대하여 다음 부등식이 성립함을 보이시오.

$$(1+a)^{n+1} \ge \frac{n^2}{2}a^2$$

또한, 이 부등식을 이용하여 $\lim_{n\to\infty}\frac{n}{2^n} = 0$을 보이시오.

2. $r \ne 1$일 때 모든 자연수 n에 대하여 다음 등식이 성립함을 보이시오.

$$\sum_{k=1}^{n} kr^{k-1} = \frac{1-(n+1)r^n + nr^{n+1}}{(1-r)^2}$$

또한, 이 등식을 이용하여 급수 $\sum_{n=1}^{\infty}\frac{n}{2^n}$의 합을 구하시오.

3. $0 < r < 1$일 때 모든 자연수 n에 대하여 다음 등식이 성립함을 보이시오.

$$\sum_{k=1}^{n+1}\frac{r^k}{k} = -\ln(1-r) - \int_0^r \frac{t^{n+1}}{1-t}dt$$

4. 문제 3의 결과를 이용하여 급수 $\sum_{n=1}^{\infty}\frac{1}{n2^n}$의 합을 구하시오.

1.

제시문 [가]를 이용하면,

$$(1+a)^{n+1}=1+(n+1)a+\frac{(n+1)n}{2}a^2+\cdots+a^{n+1}>\frac{n^2}{2}a^2$$

이다. 따라서

$$0<\frac{n}{2^n}=\frac{2n}{(1+1)^{n+1}}<\frac{4n}{n^2}=\frac{4}{n}\to 0$$

이므로 제시문 [나]에 의하여

$$\lim_{n\to\infty}\frac{n}{2^n}=0$$

이다.

2.

제시문 [다]와 [라]의 결과를 이용하면,

$$\sum_{k=1}^{n}kr^{k-1}=\frac{d}{dr}\left(\sum_{k=1}^{n}r^k\right)=\frac{d}{dr}\left(\frac{r-r^{n+1}}{1-r}\right)=\frac{1-(n+1)r^n+nr^{n+1}}{(1-r)^2}$$

이다. 여기서 $r=\frac{1}{2}$일 때, 제시문 [다]와 문제 1의 결과를 이용하면

$$\lim_{n\to\infty}\frac{1}{2^n}=\lim_{n\to\infty}\frac{n}{2^n}=0$$

이므로

$$\sum_{n=1}^{\infty}\frac{n}{2^n}=\lim_{n\to\infty}\frac{1}{2}\sum_{k=1}^{n}\frac{k}{2^{k-1}}=2$$

이다.

3.

제시문 [다]와 [라]의 결과를 이용하면,

$$\sum_{k=1}^{n+1}\frac{r^k}{k}=\int_0^r\left(\sum_{k=1}^{n+1}t^{k-1}\right)dt=\int_0^r\left(\frac{1}{1-t}-\frac{t^{n+1}}{1-t}\right)dt=-\ln(1-r)-\int_0^r\frac{t^{n+1}}{1-t}dt$$

이다.

4.

제시문 [마]에 의하여

$$0\le\int_0^{\frac{1}{2}}\frac{t^{n+1}}{1-t}dt\le\int_0^{\frac{1}{2}}\frac{\left(\frac{1}{2}\right)^{n+1}}{1-t}dt=\left(\frac{1}{2}\right)^{n+1}\int_0^{\frac{1}{2}}\frac{1}{1-t}dt=\left(\frac{1}{2}\right)^{n+1}\ln 2\to 0$$

이므로 제시문 [나]에 의하여

$$\lim_{n\to\infty}\int_0^{\frac{1}{2}}\frac{t^{n+1}}{1-t}dt=0$$

이다. 문제 3의 결과를 이용하면

$$\sum_{n=1}^{\infty}\frac{1}{n2^n}=\ln 2$$

이다.

16. 2021학년도 서강대 모의 논술 2차

1. 높이가 $H(H>2)$인 항아리에 물이 가득 채워져 있다. 이 항아리 바닥에 갑자기 작은 구멍이 생겨 물이 새기 시작한다. 항아리 바닥으로부터 수면까지의 높이가 $x(x>0)$일 때, 수면의 넓이는 $f(x)$이고, 구멍을 통해 빠져나가는 물의 부피는 시간 당 $2x$이다. 함수 $f(x)$는 구간 $[0,\ H]$에서 연속이고 모든 $h\in(0,\ H]$에 대하여 다음 식을 만족한다.

$$\int_0^h f(x)dx=\lim_{n\to\infty}\left\{\left(\frac{h}{n}\right)^3 e^{-\frac{h}{n}}+4\left(\frac{h}{n}\right)^3 e^{-\frac{2h}{n}}+9\left(\frac{h}{n}\right)^3 e^{-\frac{3h}{n}}+\cdots+n^2\left(\frac{h}{n}\right)^3 e^{-h}\right\}$$

함수 $f(x)$를 구하시오.

2. 수면의 높이가 x일 때, 항아리에 채워진 물의 부피를 나타내는 함수 $V(x)$를 구하시오.

3. 수면의 높이가 x일 때, 수면의 하강 속력을 구하시오.

4. 수면의 하강 속력이 가장 작을 때, 수면의 높이와 하강 속력을 구하시오.

1.

$\lim_{n\to\infty}\left\{\left(\frac{h}{n}\right)^3 e^{-\frac{h}{n}}+4\left(\frac{h}{n}\right)^3 e^{-\frac{2h}{n}}+9\left(\frac{h}{n}\right)^3 e^{-\frac{3h}{n}}+\cdots+n^2\left(\frac{h}{n}\right)^3 e^{-h}\right\}=\lim_{n\to\infty}\sum_{k=1}^{n}\left(\frac{kh}{n}\right)^2 e^{-\frac{kh}{n}}\left(\frac{h}{n}\right)$**로 쓸 수 있다. 여기에서** $\Delta x=h/n,\ x_k=k\frac{h}{n}$**이라고 두면, 정적분과 급수의 합 사이의 관계를 이용하여** $\lim_{n\to\infty}\sum_{k=1}^{n}x_k^2 e^{-x_k}\Delta x=\int_0^h x^2e^{-x}dx$**로 나타낼 수 있다. 따라서,** $f(x)=x^2e^{-x}$.

2. 제시문 [가]를 참고하고 부분적분법을 이용해서

$$V(x)=\int_0^x f(z)dz=\int_0^x z^2e^{-z}dz=\left[z^2(-e^{-z})\right]_0^x-\int_0^x 2z(-e^{-z})dz=-x^2e^{-x}+2\int_0^x ze^{-z}dz$$

로 쓸 수 있다. 여기에서 $\int_0^x ze^{-z}dz=\left[z(-e^{-z})\right]_0^x-\int_0^x(-e^{-z})dz=-xe^{-x}-e^{-x}+1$**이므로,** $V(x)=-e^{-x}(x^2+2x+2)+2$**을 구할 수 있다.**

3. 제시문 [나]와 [다]를 이용하면 $\frac{dV}{dt}=\frac{dV}{dx}\frac{dx}{dt}=f(x)\frac{dx}{dt}$**이다. 여기에서** $\frac{dV}{dt}=-2x$**와** $f(x)=x^2e^{-x}$**이므로 수면의 하강 속력은** $\left|\frac{dx}{dt}\right|=\frac{2e^x}{x}$ **이다.**

4. 수면의 하강 속력의 도함수는 $\frac{d}{dx}\left(\left|\frac{dx}{dt}\right|\right)=\frac{2e^x(x-1)}{x^2}$**이다. 이를 이용하여 아래 그림과 같은 수면 높이에 따른 수면의 하강 속력의 개형을 찾을 수 있다.** $x=1$**일 때,** $\frac{d}{dx}\left(\left|\frac{dx}{dt}\right|\right)=0$**이 되어, 하강 속력은 최솟값** $2e$**를 갖는다.**

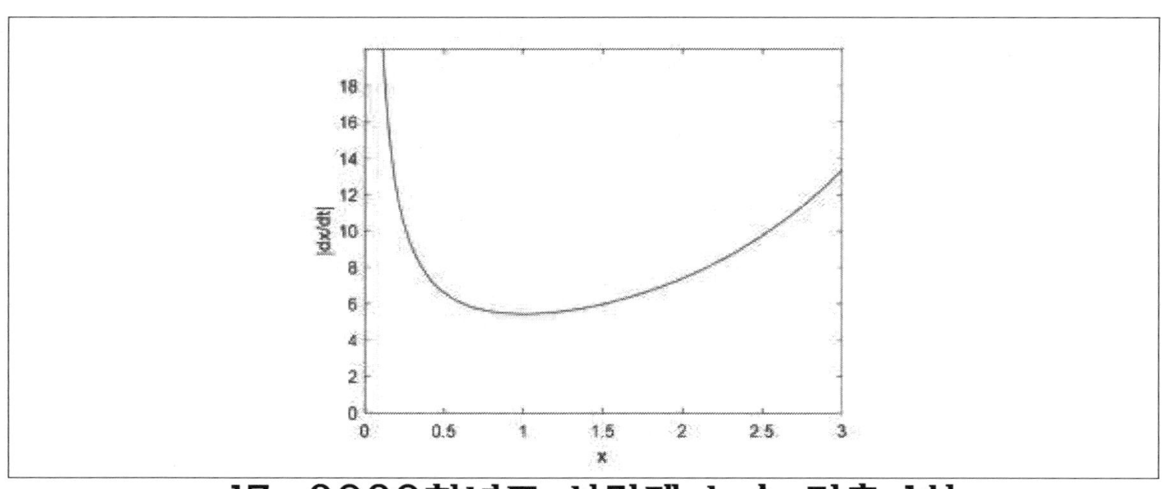

17. 2020학년도 서강대 논술 기출 1차

[문제] 아래 글을 읽고 【1－1】, 【1－2】, 【1－3】의 물음에 답하시오.

서강이는 원점 O를 중심으로 반지름의 길이가 1인 원의 둘레를 점 (1, 0)에서부터 출발하여 시계 반대 방향으로 일정한 속력으로 움직여 매 π분마다 한 바퀴씩 돌고 있다. 동시에 서준이는 점 (－1, 0)을 중심으로 반지름의 길이가 $\sqrt{3}$인 원둘레를 점 $(\sqrt{3}-1,\ 0)$에서부터 출발하여 시계 반대 방향으로 일정한 속력으로 움직여 매 2π분마다 한 바퀴씩 돌고 있다.

【1－1】 서강이와 서준이가 동시에 출발 후, t분이 지날 때, 각자의 위치를 매개변수 방정식으로 나타내시오.

【1－2】 서강이와 서준이가 첫 번째 만날 때의 속도와 가속도를 구하고, 이들 크기의 합을 각각 구하시오.

【1－3】 출발 t분 후 서준이의 가속도가 $(a(t),\ b(t))$이고, 함수 $f(t)$가 $t>0$에서 $|f(t)| \le 3$이다. 정적분 $\int_{\frac{\pi}{3}}^{\frac{2\pi}{3}} a(t)b(t)f(t)dt$이 최댓값을 갖도록 하는 함수 $f(t)$를 제시하고, 그 때 정적분의 값을 구하시오.

【1－4】 점 (－1, 0)을 중심으로 하고 반지름의 길이가 $\sqrt{3}$인 원을 밑면으로 하고, xy평면에 수직인 원기둥 모양의 벽이 있다. 서준이가 이 벽의 둘레를 점 $(\sqrt{3}-1,\ 0)$에서 출발하여 시계 반대 방향으로 일정한 속력으로 매 2π분마다 한 바퀴씩 돌고 있다. 반면, 서강이는 점 (1, 0)에서 정지한 상태로 서준이가 실제 움직이는 거리를 측정하기로 하였다. 출발하여 $\frac{49\pi}{12}$분이 경과할 때까지 서강이가 관측할 수 있는 서준이의 총 움직인 거리를 구하시오. (단, 원기둥의 높이는 무한히 높고 서준이는 매우 작다고 가정한다.)

[문항 1－1]
서강이는 반지름의 길이가 1인 원(둘레가 2π)을 한 바퀴 도는데 π분이 소요되므로 1분 동안 움직인 거리는 2이다. t분 후 움직인 거리는 $2t = 1\times\theta(t)$이므로 $\theta(t)=2t$이다. 그러므로 t분에서의 위치는 $(\cos 2t,\ \sin 2t)$이다. 서준이는 반지름의 길이가 $\sqrt{3}$인 원(둘레가 $2\sqrt{3}\pi$)을 한 바퀴 도는데 2π분이 소요되므로 1분 동안 움직인 거리는 $\sqrt{3}$이다. t분 후 움직인 거리는 $\sqrt{3}t=\sqrt{3}\theta(t)$이므로 $\theta(t)=t$이다. 그러므로 t분에서의 위치는 $(\sqrt{3}\cos t-1,\ \sqrt{3}\sin t)$이다.

[문항 1-2]

서강이와 서준이가 만날 수 있는 점은 $x^2+y^2=1$**과** $(x+1)^2+y^2=3$**의 교점** $\mathrm{A}\left(\frac{1}{2},\ \frac{\sqrt{3}}{2}\right)$, $\mathrm{B}\left(\frac{1}{2},\ -\frac{\sqrt{3}}{2}\right)$**뿐이다. 서강이가 처음으로 점** A**를 지나는 시각은** $t=\frac{\pi}{6}$, **서준이도 처음으로 점** A**를 지나는 시각은** $t=\frac{\pi}{6}$**이다. (** t**의 단위는 분) 즉,** $t=\frac{\pi}{6}$**일 때, 둘은 처음 만난다. 서강이의 위치는** $(\cos 2t,\ \sin 2t)$**이므로** t**분 후 속도는** $(-2\sin 2t,\ 2\cos 2t)$, **가속도는** $(-4\cos 2t,\ -4\sin 2t)$**이다. 서준이의 위치는** $(\sqrt{3}\cos t-1,\ \sqrt{3}\sin t)$**이므로** t**분 후 속도는** $(-\sqrt{3}\sin t,\ \sqrt{3}\cos t)$, **가속도는** $(-\sqrt{3}\cos t,\ -\sqrt{3}\sin t)$**이다. 그러므로** $t=\frac{\pi}{6}$**일 때,**

서강이의 속도는 $\left(-2\sin\frac{\pi}{3},\ 2\cos\frac{\pi}{3}\right)=(-\sqrt{3},\ 1)$,

가속도는 $\left(-4\cos\frac{\pi}{3},\ -4\sin\frac{\pi}{3}\right)=(-2,\ -2\sqrt{3})$. **이고**

서준이의 속도는 $\left(-\sqrt{3}\sin\frac{\pi}{6},\ \sqrt{3}\cos\frac{\pi}{6}\right)=\left(-\frac{\sqrt{3}}{2},\ \frac{3}{2}\right)$,

가속도는 $\left(-\sqrt{3}\cos\frac{\pi}{6},\ -\sqrt{3}\sin\frac{\pi}{6}\right)=\left(-\frac{3}{2},\ -\frac{\sqrt{3}}{2}\right)$**이다.**

이에 해당하는 서강이의 속력은 $\sqrt{4\sin^2\frac{\pi}{3}+4\cos^2\frac{\pi}{3}}=2$,

서준이의 속력은 $\sqrt{3\sin^2\frac{\pi}{6}+3\cos^2\frac{\pi}{6}}=\sqrt{3}$ **이므로 이들의 합은** $2+\sqrt{3}$**이다. 한편, 서강이의 가속도의 크기는** $\sqrt{16\cos^2\frac{\pi}{3}+16\sin^2\frac{\pi}{3}}=4$**이고 서준이의 가속도의 크기는** $\sqrt{3\cos^2\frac{\pi}{6}+3\sin^2\frac{\pi}{6}}=\sqrt{3}$ **이므로 합은** $4+\sqrt{3}$**다.**

[문항 1-3]

출발 t**분 후 서준이의 가속도는** $(-\sqrt{3}\cos t,\ -\sqrt{3}\sin t)$**이므로**

$$\int_{\pi/3}^{2\pi/3} a(t)b(t)f(t)dt = 3\int_{\pi/3}^{2\pi/3} f(t)\sin t\cos t\,dt$$

이다. 모든 $t\in[\pi/3,\ 2\pi/3]$**에 대하여** $\sin t>0$**이고**

$t\in[\pi/3,\ \pi/2]$**일 때** $\cos t\ge 0$, $t\in[\pi/2,\ 2\pi/3]$**일 때** $\cos t\le 0$**그리고** $\cos\frac{\pi}{2}=0$**이므로**

$$f_1(t)=\begin{cases} 3 & (\pi/3\le t\le \pi/2) \\ -3 & (\pi/2<t\le 2\pi/3) \end{cases}$$

라 놓으면 함수 $f_1(t)\sin t\cos t$**는** $[\pi/3,\ 2\pi/3]$**에서 연속이고,** $t>0$**에서** $|f(t)|\le 3$**을 만족하는 모든** $f(t)$**에 대하여**

$$\int_{\pi/3}^{2\pi/3} f(t)\sin t\cos t\,dt \le \int_{\pi/3}^{2\pi/3} f_1(t)\sin t\cos t\,dt$$

가 성립한다.

그러므로 정적분 $\int_{\pi/3}^{2\pi/3} a(t)b(t)f(t)dt$**이 최댓값을 갖도록 하는 함수** $f(t)$**는**

$$f(t)=\begin{cases}3 & (\pi/3 \le t \le \pi/2)\\ -3 & (\pi/2 < t \le 2\pi/3)\end{cases}$$ **또는** $$f(t)=\begin{cases}3 & (\pi/3 \le t < \pi/2)\\ -3 & (\pi/2 \le t \le 2\pi/3)\end{cases}$$

이고 그때 정적분의 값은

$$9\int_{\pi/3}^{\pi/2}\sin t\cos t\,dt-9\int_{\pi/2}^{2\pi/3}\sin t\cos t\,dt=\frac{9}{8}+\frac{9}{8}=\frac{9}{4}$$

이다.

($x=\cos t$**라 치환하면** $\int_{\pi/3}^{\pi/2}\sin t\cos t\,dt=-\int_{1/2}^{0}x\,dx=\int_{0}^{1/2}x\,dx=\frac{1}{8}=-\int_{\pi/2}^{2\pi/3}\sin t\cos t\,dt$)

[문항 1-4]

원기둥 밑면의 중심을 점 L, 서강이의 위치를 점 M이라 하자. 서강이가 관찰하고 있는 점 (1, 0)에 서 원기둥 밑면에 그은 접점을 N이라하면 삼각형 LMN은 아래 그림과 같이 직각삼각형이다. $\overline{\mathrm{LM}}=2$, $\overline{\mathrm{LN}}=\sqrt{3}$ **이므로 각** $\angle\mathrm{NLM}$**은** $\frac{\pi}{6}$**이다. 그러므로 서준이가 원을 한바퀴 돌았을 때, 서강 이가 관측할 수 있는 구간에 해당하는 서준이가 움직인 거리는** $\sqrt{3}\times\frac{\pi}{3}$**이다. 출발 후** $\frac{49\pi}{12}\left(=4\pi+\frac{\pi}{12}\right)$**분동안 서준이는 2바퀴를 돌고 중심각이** $\frac{\pi}{12}$**인 부채꼴의 호만큼 더 움직일 수 있다. 그러므로 답은** $\frac{2\sqrt{3}}{3}\pi+\frac{\sqrt{3}}{12}\pi=\frac{3\sqrt{3}}{4}\pi$**이다.**

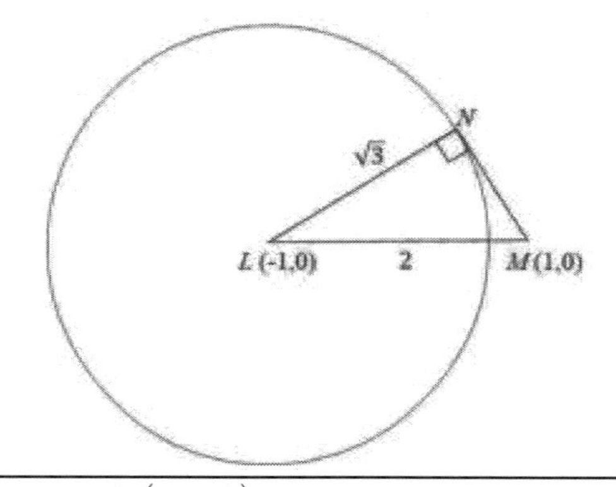

【2-1】 함수 $f(x)=\begin{cases}2x+3x^2\sin\frac{1}{x} & (x\neq 0)\\ 0 & (x=0)\end{cases}$ 에서 $f'(0)$의 값을 구하시오.

【2-2】 $\lim_{n\to\infty}a_n=0$이고 모든 자연수 n에 대하여 $\cos\frac{1}{a_n}=1$을 만족하는 수열 $\{a_n\}$의 예를 찾으시오.

【2-3】 함수 $f(x)=\begin{cases}2x+3x^2\sin\frac{1}{x} & (x\neq 0)\\ 0 & (x=0)\end{cases}$ 는 $x=0$을 포함하는 어떤 열린 구간에서 증가하는지 서술하시오.

【2－4】 $\int_0^1 2x^4\sqrt{1-x^4}\,dx = \frac{1}{3}\int_0^1 (1-x^4)^{\frac{3}{2}}dx$임을 보이시오.

【2－5】 $p'(0)=5$를 만족하는 다항함수 $p(x)$에 대하여 $\int_0^{\pi}\{p(x)+p''(x)\}\cos x dx = 3$이 성립할 때 $p'(\pi)$가 가질 수 있는 모든 값을 구하시오.

[문항 2－1]

$x \neq 0$일 때 $-|x| \leq x\sin\frac{1}{x} \leq |x|$이고 $\lim_{x\to 0}|x| = 0$이므로 $\lim_{x\to 0} x\sin\frac{1}{x} = 0$이다.

따라서

$$f'(0) = \lim_{x\to 0}\frac{f(x)-f(0)}{x-0} = \lim_{x\to 0}\frac{2x+3x^2\sin(1/x)}{x} = \lim_{x\to 0}\left(2+3x\sin\frac{1}{x}\right) = 2$$

이다.

[문항 2－2]

$a_n = \frac{1}{2\pi n}$ (또는 $a_n = -\frac{1}{2\pi n}$, $a_n = \frac{1}{4\pi n}$ 등도 가능함)일 때, $\lim_{n\to\infty} a_n = 0$이고 모든 자연수 n에 대하여 $\cos\frac{1}{a_n} = 1$을 만족한다.

[문항 2－3]

$x \neq 0$일 때 $f'(x) = 2+6x\sin\frac{1}{x} - 3\cos\frac{1}{x}$이고, $a_n = \frac{1}{2\pi n}$일 때 $\sin\frac{1}{a_n} = 0$, $\cos\frac{1}{a_n} = 1$이므로, 모든 자연수 n에 대하여

$$f'\left(\frac{1}{2n\pi}\right) = f'\left(-\frac{1}{2n\pi}\right) = 2+0-3 = -1$$

이다. $\lim_{n\to\infty}\frac{1}{2n\pi} = 0$이므로 $x=0$을 포함하는 열린 구간은 $f'(a) = -1$을 만족하는 점 $x=a$을 항상 포함한다. 제시문 [나]에 의해서 함수 $f(x)$는 $x=0$을 포함하는 어떤 열린 구간에서도 증가하지 않는다.

[문항 2－4]

$f(x) = x$ 그리고 $g'(x) = 2x^3\sqrt{1-x^4}$라 놓으면 $f'(x) = 1$이고 $g(x) = -\frac{1}{3}(1-x^4)^{\frac{3}{2}}$이다. 제시문 [마]에 의해서

$$\int_0^1 2x^4\sqrt{1-x^4}\,dx = \left[-\frac{1}{3}x(1-x^4)^{\frac{3}{2}}\right]_0^1 - \int_0^1 -\frac{1}{3}(1-x^4)^{\frac{3}{2}}dx = \frac{1}{3}\int_0^1 (1-x^4)^{3/2}dx$$

이다.

[문항 2－5]

제시문 [가]와 [마]에 의해서

$$\int_0^{\pi} p(x)\cos x dx = [p(x)\sin x]_0^{\pi} - \int_0^{\pi} p'(x)\sin x dx = -\int_0^{\pi} p'(x)\sin x dx$$

그리고

$$\int_0^{\pi} p''(x)\cos x dx = [p'(x)\cos x]_0^{\pi} - \int_0^{\pi} p'(x)(-\sin x)dx = -p'(\pi) - p'(0) + \int_0^{\pi} p'(x)\sin x dx$$

이다.

그러므로 $3 = \int_0^{\pi} [p(x) + p''(x)]\cos x dx = -p'(\pi) - p'(0) = -p'(\pi) - 5$**이 성립한다.**

따라서 $p'(\pi) = -8$**이고** $p'(\pi)$**가 갖는 유일한 값은** -8**이다.**

18. 2020학년도 서강대 논술 기출 2차

구간 $[0,\ \infty)$에서 정의된 함수

$$f(x) = \begin{cases} clx & (0 \le x < 1) \\ (m-1)x + 2 - m & (1 \le x < 2) \\ x^3 - 6x^2 + 12x + m - 8 & (x \ge 2) \end{cases}$$

에 대하여 제시문을 참고하여 다음 물음에 답하시오.

【1－1】 함수 $f(x)$의 역함수 $f^{-1}(x)$가 존재하기 위한 실수 m의 범위를 구하시오.

※【1－2, 1－3, 1－4】 문제【1－1】의 결과를 이용하여 다음 물음에 답하시오.

【1－2】 함수 $f^{-1}(x)$의 $x = 9m$에서의 미분계수 $(f^{-1})'(9m)$을 m에 대한 식으로 나타내시오.

【1－3】 정적분 $\int_0^{9m} f^{-1}(x)dx$을 m에 대한 식으로 나타내시오.

【1－4】 함수 $g(x) = \lim_{\Delta x \to 0+} \dfrac{f^{-1}(x+\Delta x) - f^{-1}(x)}{\Delta x}$로 정의한다.

$1 < c < m$인 실수 c에 대하여 함수 $h(x) = (x - \alpha)g(x)$가 닫힌 구간 $[0,\ c]$에서 연속이 되도록 실수 α의 값을 구하시오.

[문항 1－1]

함수 $f(x)$**가 일대일 대응일 때 역함수** $f^{-1}(x)$**가 존재하므로 함수** $f(x)$**가 일대일 대응일 조건을 구한다. 구간** $[0,\ 1)$, $[2,\ \infty)$**에서 함수** $f(x)$**는 증가하므로 구간** $[1,\ 2)$**에서 증가하면 모든 구간에서 증가한다.**

구간 $[1,\ 2)$**에서** $m < 1$**이면** $m - 1 < 0$**이므로 함수** $f(x)$**가 감소하고,** $m = 1$**이면 함수** $f(x) = 2 - m = 1$**이고 상수함수가 되어 증가하지 않는다.** $m > 1$**이면** $m - 1 > 0$**이므로 함수** $f(x)$**는 증가한다. 결국,** $m > 1$**이면 함수** $f(x)$**는 모든 구간에서 증가하므로 함수** $f(x)$**는 구간** $[0,\ \infty)$**의 임의의 두 원소** x_1, x_2**에 대하여** $x_1 \ne x_2$**이면** $f(x_1) \ne f(x_2)$**이고 일대일함수이다.**

또한 함수 $f(x)$**는 구간** $[0,\ \infty)$**에서 연속이고 증가하므로 치역과 공역이 모두 구간** $[0,\ \infty)$**이고 일대일 대응이다. 따라서 함수** $f(x)$**의 역함수** $f^{-1}(x)$**가 존재하기 위한 실수** m**의 범위는** $m > 1$ **이다.**

[문항 1－2]

제시문 [나]에서 주어진 공식을 사용하자. 우선 $f(x) = 9m$**을 만족하는** x**값을 찾아야 한다.** $m > 1$**임으로** $9m > 9$**가 되고 이 구간에서 함수** $f(x)$**는** $x^3 - 6x^2 + 12x + m - 8 = (x-2)^3 + m$**으**

로 표시할 수 있다. 따라서 $f(x)=9m$을 만족하는 x값은 $2+2m^{1/3}$이 된다. 그러므로

$$(f^{-1})'(9m)=\frac{1}{f'(2+2m^{1/3})}=\frac{1}{12m^{2/3}}$$

을 얻는다.

[문항 1-3]

제시문으로부터 문제의 적분값은 $(2+2m^{1/3})\times(9m)-\int_0^{2+2m^{1/3}}f(x)dx$이 됨을 알 수 있다. 두 번째 항의 적분을 세 구간으로 나누어 계산하면

$$\int_0^1 xdx+\int_1^2((m-1)x+2-m)dx+\int_2^{2+2m^{1/3}}((x-2)^3+m)dx$$
$$=\frac{1}{2}+\left(\frac{m}{2}+\frac{1}{2}\right)+\int_0^{2m^{1/3}}(x^3+m)dx=\frac{m}{2}+1+6m^{4/3}$$

이 되고, 따라서 최종 결과는 $(2+2m^{1/3})\times(9m)-\left(6m^{4/3}+\frac{m}{2}+1\right)=12m^{4/3}+\frac{35}{2}m-1$

[문항 1-4]

$f'(x)$가 $x\neq 1$, $x\neq 2$인 모든 점에서 존재하고 연속임은 자명하다. $f'(x)$의 $x=1$ 그리고 $x=2$에서 좌극한과 우극한을 생각해보자.

$$\lim_{x\to 1-}f'(x)=1,\quad \lim_{x\to 1+}f'(x)=m-1,\quad \lim_{x\to 2-}f'(x)=m-1,\quad \lim_{x\to 2+}f'(x)=0,$$

임을 알 수 있다. 한편 $f(1)=1$, $f(2)=m$이기 때문에 제시문 [나]로부터

$$\lim_{x\to 1-}(f^{-1})'(x)=1,\quad \lim_{x\to 1+}(f^{-1})'(x)=\frac{1}{m-1},$$
$$\lim_{x\to m-}(f^{-1})'(x)=\frac{1}{m-1},\quad \lim_{x\to m+}(f^{-1})'(x)=\infty,$$

임을 알 수 있다. 따라서 $[0,\ c]$의 구간 내에서 $c<m$임으로 일반적인 $m>1$에 대하여 $x=1$에서만 $(f^{-1})'(1)$이 존재하지 않는다. 그런데 $g(x)$의 정의에 따라 $x\neq 1$인 경우, $(f^{-1})'(x)$이 존재하고 연속이기 때문에 $g(x)$는 연속이고, $x=1$에서는

$$g(1)=\frac{1}{m-1},\quad \lim_{x\to 1-}g(x)=1,\quad \lim_{x\to 1+}g(x)=\frac{1}{m-1}$$

이기 때문에 $g(x)$는 $x=1$에서만 일반적인 $m>1$에 대하여 불연속이 된다. 따라서 $h(x)=(x-a)g(x)$는 $x\neq 1$인 경우 연속이 된다. 이제 $x=1$인 경우를 살펴보면

$$h(1)=(1-a)\frac{1}{m-1}$$

이고,

$$\lim_{x\to 1-}h(x)=(1-a),\quad \lim_{x\to 1+}h(x)=\frac{1-a}{m-1}$$

이기 때문에 $x=1$에서의 연속조건

$$h(1)=\lim_{x\to 1-}h(x)=\lim_{x\to 1+}h(x)$$

이 만족 되려면 $m>1$이기 때문에 $a=1$이 되어야 한다.

[문제] 구간 $(-\infty, \infty)$에서 정의된 함수 $f(x)$는 다음 성질을 만족시킨다.

$$f(x) = x \ (0 \le x < 1), \quad f(x+1) = f(x)$$

제시문을 참고하여 다음 물음에 답하시오.

【2-1】 열린 구간 (0, 2)에서 함수 $g(x) = \left\{f(2x) - \frac{1}{2}\right\}\left\{f(3x) - \frac{1}{2}\right\}$가 불연속이 되는 x의 값을 모두 구하시오.

【2-2】 $N > 1$인 모든 자연수 N에 대하여 다음 급수

$$\sum_{n=1}^{N} f\left(n\left(1 + \frac{1}{N}\right)\right)$$

을 N에 대한 식으로 나타내시오.

【2-3, 2-4】 다음은 $f(Nx) - \sum_{n=1}^{N}\left(f\left(x + \frac{n}{N}\right) - \frac{1}{2}\right)$의 계산과정 일부를 나타낸 것이다. 참고하여 문제 【2-3】, 【2-4】에 답하시오.

> 임의의 실수 x는 정수 m과 소수 $\alpha(0 \le \alpha < 1)$의 합, 즉 $x = m + \alpha$으로 표현이 가능하다. 그런데 $f(x) = \alpha$이므로
>
> $$\sum_{n=1}^{N}\left(f\left(m + \alpha + \frac{n}{N}\right) - \frac{1}{2}\right) = \sum_{n=1}^{N}\left(f\left(\alpha + \frac{n}{N}\right) - \frac{1}{2}\right) \text{ (단, } N\text{은 1보다 큰 자연수이다.)}$$
>
> 이다. 이 때,
>
> $$\alpha + \frac{n_0 - 1}{N} < 1, \quad \alpha + \frac{n_0}{N} \ge 1$$
>
> 을 동시에 만족하는 자연수 $n_0(1 < n_0 \le N)$을 찾을 수 있다.

【2-3】 임의의 실수 x에 대하여 다음을 구하시오.

$$\sum_{n=1}^{n_0 - 1}\left(f\left(x + \frac{n}{N}\right) - \frac{1}{2}\right)$$

【2-4】임의의 실수 x에 대하여 다음을 구하시오.

$$f(Nx) - \sum_{n=1}^{N}\left(f\left(x + \frac{n}{N}\right) - \frac{1}{2}\right)$$

> **[문항 2-1]**
>
> **함수 f는 정수인 n들이 불연속점들이다. 따라서 구간 (0, 2)에서 $f(2x)$는 $\frac{1}{2}$, 1, $\frac{3}{2}$에서 불연속이고 $f(3x)$는 $\frac{1}{3}$, $\frac{2}{3}$, 1, $\frac{4}{3}$, $\frac{5}{3}$에서 불연속이다. 그런데 $x = \frac{1}{2}$, 1, $\frac{3}{2}$에서 함수 g는 연속 이 된다. 그러므로**
>
> $$\frac{1}{3}, \frac{2}{3}, 1, \frac{4}{3}, \frac{5}{3}$$
>
> **에서 g는 불연속이다.**

[문항 2-2]

함수 f의 정의로부터 $f(N+1)=0$이므로,

$$\sum_{n=1}^{N} f\left(n\left(1+\frac{1}{N}\right)\right)=\sum_{n=1}^{N-1}\frac{n}{N}$$
$$=\frac{1}{N}\frac{(N-1)N}{2}$$
$$=\frac{N-1}{2}.$$

[문항 2-3]

준식은

$$\sum_{n=1}^{n_0-1}\left(\left\{\alpha+\frac{n}{N}\right\}-\frac{1}{2}\right)=(n_0-1)\alpha+\sum_{n=1}^{n_0-1}\frac{n}{N}-\frac{n_0-1}{2}$$
$$=(n_0-1)\left\{\alpha+\frac{n_0}{2N}-\frac{1}{2}\right\}$$

또는

$$(n_0-1)\left(\alpha-\frac{1}{2}\right)+\sum_{n=1}^{n_0-1}\frac{n}{N}.$$

[문항 2-4]

준식은 다음의 두 합으로 분할된다:

$$f(Nx)-\left(\sum_{n=1}^{n_0-1}\left(\left\{\alpha+\frac{n}{N}\right\}-\frac{1}{2}\right)+\sum_{n=n_0}^{N}\left(\left\{\alpha+\frac{n}{N}-1\right\}-\frac{1}{2}\right)\right)\equiv f(Nx)-(I+II)$$

I**은 문제 3으로부터**

$$I=(n_0-1)\alpha+\sum_{n=1}^{n_0-1}\frac{n}{N}-\frac{n_0-1}{2}.$$

II**의 계산:**

$$II=(N-n_0+1)\alpha+\sum_{n=n_0}^{N}\frac{n}{N}-\frac{(N-n_0+1)3}{2}$$
$$=(N-n_0+1)\alpha+\sum_{n=n_0}^{N}\frac{n}{N}-(N-n_0+1)-\frac{N-n_0+1}{2}.$$

따라서 등차수열의 합을 이용하면

$$I+II=N\alpha+\frac{N(N+1)}{2N}-(N-n_0+1)-\frac{N}{2}$$
$$=N\alpha-(N-n_0)-\frac{1}{2}.$$

그런데, 조건 $\alpha+\frac{n_0-1}{N}<1$**로부터** $N\alpha-N+n_0<1$**이고, 다른 조건** $\alpha+\frac{n_0}{N}\geq 1$**로부터** $N\alpha-N+n_0\geq 0$**이다. 즉**

$$N\leq N\alpha+n_0<N+1$$

이므로

$$I + II = N\alpha - (N - n_0) - \frac{1}{2}$$
$$= f(N\alpha) - \frac{1}{2}.$$

그런데 $f(N\alpha) = f(Nx)$**이므로,**

$$\text{준식} = f(Nx) - (f(Nx) - 1/2) = \frac{1}{2}.$$

19. 2020학년도 서강대 모의 논술 1차

[1] $x^2 + 4y^2 = 1$위를 움직이는 점 $P(x,\ y)$가 있다. 삼각함수 $x = \cos t$와 $y = \sin t$를 이용하여 얻어지는 매개변수 방정식의 점 $(1,\ 0)$에서 속력과 가속도의 크기를 구하여라.

[2] 교점에서 두 접선의 기울기가 같으면 동일한 접선이 된다. 타원 $\frac{x^2}{a^2} + \frac{y^2}{b^2} = 1\,(a > b)$과 $y = \cos x$의 두 곡선이 $0 < x < a,\ 0 < y < b$에서 동일한 접선을 가질 수 없음을 보여라. (단, $a^2 + b^2 < 2ab^2$이다.)

[3] 동서를 직선으로 연결된 횡단 철도를 생각한다. 동서는 12 km떨어져 있고, 동부 승무원은 시간당 5km로, 서부 승무원은 시간당 $7km$로 각각 마주보는 방향으로 이동하면서 철도점검일을 한다. 철도 관계자는 동부에서 객차로 시간당 $20km$로 출발하여 서부 승무원 또는 동부 승무원 사이를 오가며 운행 정보를 기록한다. 단, 동부 또는 서부 승무원과 마주칠 때마다 대기 시간 없이 객차 방향이 바뀐다고 가정하고, 양쪽 승무원과 객차는 동시에 출발한다. 객차가 처음 출발하여 서부 승무원을 만날 때까지 걸린 시간을 t_1, 다시 방향을 바꾸어 동부 승무원을 만날 때까지 걸린시간을 t_2라고 하면 연속되어 걸린 시간 t_n을 정의할 수 있다. 이 때, t_n을 구하고 누적 시간 $\sum_{n=1}^{\infty} t_n$을 계산하여라.

[4] 3차원 공간의 두 점 $A(1,\ 8,\ 3)$와 $B(4,\ 5,\ 0)$에 대하여, $\overline{PA} : \overline{PB} = 2 : 1$인 점의 자취는 구가된다. 점 $Q(5,\ 8,\ 3)$에서 이 구에 접선들을 그을 때 발생하는 접점들의 자취와 겹치는 부분을 제외한 나머지 부피를 구하여라.

※ 다음 풀이는 축약된 모범담안으로서 풀이과정에서 반드시 포함되어야 함.

[1]

$x(t) = \sin t,\ y(t) = \frac{1}{2}\cos t$**라고 두면** $x^2 + 4y^2 = 1$**을 만족하고, 위치 벡터** P**는 시각** $t = \frac{\pi}{2}$**일 때이다. 그리고**

$$\frac{dx}{dt} = \cos t,\ \frac{d^2x}{dt^2} = -\sin t \ \textbf{그리고}\ \frac{dy}{dt} = -\frac{1}{2}\sin t\, \frac{d^2y}{dt^2} = -\frac{1}{2}\cos t$$

이므로 속도는 $\left(\cos t,\ -\frac{1}{2}\sin t\right)$**, 가속도는** $\left(-\sin t,\ -\frac{1}{2}\cos t\right)$**이다.**

그런데 P**는 시각** $t = \frac{\pi}{2}$**일 때 이므로, 구하고자하는 속력과 가속도의 크기는 각각**

$$\sqrt{\cos^2\frac{\pi}{2} + \frac{1}{4}\sin^2\frac{\pi}{2}} = \frac{1}{2},\ \sqrt{\sin^2\frac{\pi}{2} + \frac{1}{4}\cos^2\frac{\pi}{2}} = 1$$

이다.

[2]

공통 접선이 존재하기 위해서는 교점이 존재하고 그 교점에서 접선의 기울기가 같아야 한다.

먼저 교점이 존재하면, $\frac{x^2}{a^2}+\frac{y^2}{b^2}=1$, $y=\cos x$. **따라서,** $\frac{x^2}{a^2}+\frac{\cos^2 x}{b^2}=1$.

$\cos^2 x = t$**로 치환하면,**

$$x^2 = a^2\left(1-\frac{t}{b^2}\right) \cdots\cdots\cdots\cdots (1)$$

그리고, 타원에서 접선의 기울기를 구하기 위해 미분하면, $\frac{2x}{a^2}+\frac{2y}{b^2}y'=0$.

$$\therefore\ y' = -\frac{b^2}{a^2}\frac{x}{y}$$

$y=\cos x$**에서 접선의 기울기는**

$$y' = -\sin x.$$

두 접선의 기울기가 같으면,

$$-\frac{b^2}{a^2}\frac{x}{y} = -\sin x = -\frac{b^2}{a^2}\frac{x}{\cos x}.$$

즉, $\sin x\cos x = \frac{b^2}{a^2}x$.

양변 제곱하면,

$$x^2 = \frac{a^4}{b^4}(1-\cos^2 x)\cos^2 x = \frac{a^4}{b^4}(1-t)t \cdots\cdots\cdots\cdots (2)$$

(1), (2)에서

$$x^2 = \frac{a^4}{b^4}(1-t)t = a^2\left(1-\frac{t}{b^2}\right).$$

즉, $a^2t^2-(a^2+b^2)t+b^4=0$

그런데, 위 2**차 방정식의 판별식** $D=(a^2+b^2)^2-4a^2b^4$**이며,** $a^2+b^2<2ab^2$**이므로,** $D<0$**이다. 따라서, 해가 존재하지 않아 공통 접선은 존재하지 않는다.**

[3]

시간의 누적 합에 관한 문제이므로, 시각 t**에서 객차가 움직일 수 있는 서부와 동부 사이의 거리는** $12-(5+7)t$**이다. 동부와 서부에서 거리를 좁혀와 객차가 동부에서 서부로 갈 때의 상대속도는** $(20+7)\text{km}=27\ \text{km/h}$**이고 객차가 서부에서 동부로 갈 때의 상대속도는** $(20+5)\text{km}=25\ \text{km/h}$ **이다. 그리고** n**번째 시간의 이동거리는**

$$12\ \text{km}\ (n=1),\ 12-12(t_1+t_2\cdots+t_{n-1})\ (n>1)$$

이다. 자세히 살펴보면, n**이 홀수일 때** n**번째 시간의 이동 거리는** $27t_n$**이고,** n**이 짝수일 때** n**번째 시간의 이동거리는** $25t_n$**이다. 따라서**
다음의 식들을 얻는다:

$$12 = 27t_1$$
$$12-12t_1 = 25t_2$$
$$12-12(t_1+t_2) = 27t_3$$
$$\vdots$$

즉,

$$\begin{aligned} 12 &= 27t_1 \\ 15t_1 &= 25t_2 \\ 13t_2 &= 27t_3 \\ 15t_3 &= 25t_4 \\ &\vdots \end{aligned}$$

다시 말해

$$\begin{aligned} t_1 &= \frac{12}{27} \\ t_2 &= \frac{12}{27}\times\frac{15}{25} \\ t_3 &= \frac{12}{27}\times\frac{13}{27}\times\frac{13}{27} \\ t_4 &= \frac{12}{27}\times\frac{15}{25}\times\frac{13}{27}\times\frac{15}{25} \\ &\vdots \end{aligned}$$

이제 $r=\frac{15}{25}\times\frac{13}{27}$이라고 두면,

$$\begin{aligned} t_{2n+2} &= r^{n+1}\times\frac{12}{13} \\ t_{2n+1} &= r^{n}\times\frac{12}{27} \end{aligned}$$

이 된다. 그리고 전체 이동 시간은

$$\begin{aligned} \lim_{b\to\infty}(t_1+t_2+\cdots t_n) &= \sum_{n=0}^{\infty} t_{2n+1}+t_{2n+2} \\ &= \sum_{n=0}^{\infty} r^{n+1}\times\frac{12}{13}+\sum_{n=0}^{\infty} r^{n}\times\frac{12}{27} \\ &= \frac{\frac{12}{27}(\frac{15}{25}+1)}{1-\frac{15}{25}\times\frac{13}{27}} \\ &= 1 \end{aligned}$$

[4]

두 점 A(1, 8, 3)와 B(4, 5, 0)에 대하여, $\overline{PA}:\overline{PB}=2:1$인 점을 P($x$, y, z)라고 하면,

$\overline{PA}=\sqrt{(x-1)^2+(y-8)^2+(z-3)^2}$, $\overline{PB}=\sqrt{(x-4)^2+(y-5)^2+z^2}$ 이고,

$\overline{PA}=2\overline{PB}$이므로

$$\sqrt{(x-1)^2+(y-8)^2+(z-3)^2}=2\sqrt{(x-4)^2+(y-5)^2+z^2}$$

이다.

양변을 제곱하여 정리하면,

$$(x-1)^2+(y-8)^2+(z-3)^2=4(x-4)^2+4(y-5)^2+4z^2$$

$$3x^2-30x+63+3y^2-24y+36+3z^2+6z-9=0$$

$$(x-5)^2+(y-4)^2+(z+1)^2=12$$

따라서, 점 $P(x,\ y,\ z)$**의 자취는 중심이** $(5,4,-1)$**이고 반지름의 길이가** $2\sqrt{3}$ **인 구이다.**
점 $Q(5,\ 8,\ 3)$**에서 구에 그어진 접선들에 의해 원뿔이 형성되고,**
접점들 $(x-5)^2+(y-4)^2+(z+1)^2=12$**의 자취는 원을 형성하게 된다.**
구의 중심을 $C(5,\ 4,\ -1)$, **접점을** $T(x,\ y,\ z)$**라 하면, 피타고라스의정리에 의해**
$\overline{QT}^{\,2}=\overline{QC}^{\,2}-12$ **즉,** $\overline{QT}^{\,2}=4^2+4^2-12=20$

$$2\sqrt{3}\cdot\overline{QT}=r\cdot\overline{QC}$$

로부터 $r^2=\dfrac{15}{2}$**를 얻고, 구의 중심에서 접점들에 의해 형성된 원 단면까지의 거리는 피타고라스 정리에 의해 구할 수 있다. 즉,** $a=\sqrt{12-\dfrac{15}{2}}=\dfrac{3}{\sqrt{2}}$. **따라서, 원뿔과 겹치는 부분을 제외한 구의 부피는**

$$V=\int_{-2\sqrt{3}}^{\frac{3}{\sqrt{2}}}\pi y^2dx=\int_{-2\sqrt{3}}^{\frac{3}{\sqrt{2}}}\pi\left(\sqrt{12-x^2}\right)^2dx=\pi\left(12x-\frac{1}{3}x^3\right)\Bigg|_{-2\sqrt{3}}^{\frac{3}{\sqrt{2}}}$$

$$V=\pi\left|12\left(\frac{3}{\sqrt{2}}+2\sqrt{3}\right)-\frac{1}{3}\left(\frac{27}{2\sqrt{2}}+24\sqrt{3}\right)\right|=\pi\left(\frac{63}{4}\sqrt{2}-16\sqrt{3}\right)$$

20. 2020학년도 서강대 모의 논술 2차

[1] 제시문 [나]의 평균값 정리를 사용하여 $0<a<b$일 때 부등식 $\sqrt{b}-\sqrt{a}<\dfrac{b-a}{2\sqrt{a}}$이 성립함을 보이시오.

[2] 제시문 [가]와 [나]를 참조하여 미분가능 함수 $f:(0,\ \infty)\to(0,\ \infty)$가 모든 $x>0$에 대하여 $f'(x)\ge f(x)$을 만족할 때 $\lim_{x\to\infty}f(x)=\infty$임을 보이시오.

[3] 유리수 전체의 집합을 Q라 하자. Q에서 정의된 함수 f가 모든 $x,\ y\in Q$에 대하여 등식 $f(x+y)-f(x-y)=2f(y)$를 만족할 때, 제시문 [다]와 [라]를 참조하여 r이 임의로 주어진 양의 유리수일 때 모든 자연수 n에 대하여 $f(nr)=f(r)n$임을 보이시오.

[4] 문항 [3]의 결과를 이용하여 함수 f는 모든 유리수 x에 대하여 $f(x)=f(1)x$를 만족함을 보이시오.

[1]
$f(x)=\sqrt{x}$**에 평균값 정리를 적용하면 적당한** $c\in(a,\ b)$**가 존재하여**
$\dfrac{\sqrt{b}-\sqrt{a}}{b-a}=\dfrac{1}{2\sqrt{c}}<\dfrac{1}{2\sqrt{a}}$**이다. 따라서** $\sqrt{b}-\sqrt{a}<\dfrac{b-a}{2\sqrt{a}}$**가 성립한다.**

[2]
임의의 $a>1$**에 대하여 함수** $f(x)$**는** $[1,\ a]$**에서 미분가능하므로 평균값정리에 의하여**

$\dfrac{f(a)-f(1)}{a-1}=f'(t)$를 만족하는 어떤 t가 1과 a사이에 존재한다.

모든 $x>0$에 대하여 $f'(x)\geq f(x)>0$이므로 $f(x)$는 $x>0$에서 증가함수이다.

조건에 의해서 $f'(t)\geq f(t)>f(1)$가 성립한다.

그러므로

$$f(a)-f(1)=f'(t)(a-1)>f(1)(a-1)=f(1)a-f(1)$$

따라서 임의의 $a>1$에 대하여 $f(a)>f(1)a$가 성립한다.

$f(1)>0$이므로 양변에 극한을 취하면

$\lim_{a\to\infty}f(a)\geq\lim_{a\to\infty}f(1)a=\infty$를 얻는다.

[3]

$f\in A$라 할 때 등식 $f(x+y)-f(x-y)=2f(y)$에 $y=0$을 대입하면 $f(x)-f(x)=2f(0)$ 즉, $f(0)=0$을 얻는다. 양의 유리수 r이 주어졌을 때 등식에 $x=y=r$를 대입하면 $f(2r)=2f(r)$을 얻는다. 이제 함수 f가 주어진 자연수 k에 대하여

$$f(kr)=f(r)k \text{ 그리고 } f((k+1)r)=f(r)(k+1)$$

을 만족한다고 가정하자. 이제 등식 $f(x+y)-f(x-y)=2f(y)$에 $x=(k+1)r$과 $y=r$을 대입하면, 가정으로부터

$$f((k+2)r)=2f(r)+f(kr)=(k+2)f(r)$$

을 만족한다. 따라서 제시문 [라]에 의해서 함수 f는 임의로 주어진 양의 유리수 r과 모든 자연수 n에 대하여 $f(nr)=nf(r)$를 만족한다.

[4]

먼저 문항 [3]에 의하여 임의로 주어진 양의 유리수 $\dfrac{n}{m}$에 대하여

$f\left(\dfrac{n}{m}\right)=nf\left(\dfrac{1}{m}\right)$을 만족하고 $f(1)=f\left(m\times\dfrac{1}{m}\right)=mf\left(\dfrac{1}{m}\right)$을 만족하므로

$$f\left(\frac{n}{m}\right)=nf\left(\frac{1}{m}\right)=\frac{n}{m}f(1)$$

이 성립한다. 따라서 모든 양의 유리수 x에 대하여 $f(x)=f(1)x$이 성립한다.

이제 $f(x+y)-f(x-y)=2f(y)$에 $y=-x$를 대입하면 모든 양의 유리수 x에 대하여

$$f(-2x)=-2f(x)=-2xf(1)$$

를 얻는다. 따라서 음의 유리수에 대해서도 $f(x)=f(1)x$이 성립한다.